Claus Schenk Graf von Stauffenberg

dargestellt von Harald Steffahn

Rowohlt
rororo

rowohlts monographien begründet von Kurt Kusenberg
herausgegeben von Wolfgang Müller und Uwe Naumann

Redaktion: Uwe Naumann
Redaktionsassistenz: Katrin Finkemeier
Umschlaggestaltung: Walter Hellmann
Vorderseite: Claus Schenk Graf von Stauffenberg, 1934
(dpa Hamburg, Bildarchiv)
Rückseite: Adolf Hitler und Benito Mussolini besichtigen
das Führerhauptquartier «Wolfsschanze»
nach dem Attentat vom 20. Juli 1944
(Ullstein Bilderdienst, Berlin)

Originalausgabe
Veröffentlicht im Rowohlt Taschenbuch Verlag GmbH,
Reinbek bei Hamburg, Mai 1994

Satz Times PostScript Linotype Library, PM 4.2
Gesamtherstellung Clausen & Bosse, Leck
Printed in Germany
ISBN 3 499 50520 7

3. Auflage September 2002

Inhalt

Claus Schenk Graf von Stauffenberg mit seinen Söhnen Franz Ludwig
und Heimeran, 1940

«...eine dämonische Gewalt»

Unter den zahllosen Fotografien vom Redner Hitler gibt es eine, die äußerlich durch nichts von anderen unterschieden und dennoch voller Dramatik ist. Während er an diesem 8. November 1939 ruhig und gesammelt am Podium des Münchner Bürgerbräu-Saales steht und spricht, tickt in einer Säule hinter ihm das Uhrwerk einer Sprengladung.

Alljährlich verbringt der Putschist von 1923 am Ausgangspunkt seines Umsturzversuches, und zur nämlichen Zeit, einige Stunden mit den «Alten Kämpfern» in Bierdunst und Nostalgie. Dann gedenken sie gemeinsam seiner rauschhaften Redeerfolge, der Saalschlachten mit den «Roten» und des mühsamen Aufstiegs zur Macht – und wie sich dann alles so glanzvoll wendete... Vor sechzehn Jahren hatte der jetzige Festredner eine feierliche Versammlung in diesem Raum mit einem Pistolenschuß in die Decke gesprengt; das Signal zum Staatsstreich. Heute wird es lauter werden.

Der geliebte und gehaßte Massenbeweger wurde mit den ausgefeilten Methoden deutscher Gründlichkeit normalerweise gut geschützt. In diesem vertrauten Kreis allerdings waren die Sicherheitsvorkehrungen gering. «In der Versammlung schützen mich meine Alten Kämpfer.»[1] Mit diesem Argument hatte der alljährlich Gefeierte auf alle Vorsorge von seiten der örtlichen Polizei und SS verzichtet. Sie hätten den berühmten Versammlungsort vor dem Auftritt des Führers vermutlich gründlicher überprüft. Die Veteranen des Marsches zur Feldherrnhalle begnügten sich mit flüchtigem Augenschein. Ein Attentäter, der den ritualhaften Ablauf des 8. November in Erfahrung zu bringen wußte, konnte sich darauf einstellen.

Der schwäbische Kunsttischler Georg Elser, Jahrgang 1903, einstiges Mitglied des Roten Frontkämpferbundes, aber ohne Auftraggeber ganz auf sich gestellt, besaß Umsicht, zielstrebige Geduld und handwerkliche Akkuratesse. Er machte Ernst mit seiner Überzeugung, daß das Münchner Abkommen vom September 1938 nur eine Station auf Hitlers Weg zum Kriege sei und der Diktator deshalb beseitigt werden müsse. Lange experimentierte er in seiner Werkstatt mit Uhrengehäusen und Sprengstoffzündern, bis er dann in dreißig bis fünfunddreißig Nächten von Au-

Adolf Hitler im Münchner Bürgerbräukeller, 8. November 1939

gust bis November 1939 die dem Podium nächststehende Säule aushöhlte. Die im unteren Bereich umlaufende Holzverkleidung tarnte das geheime Werk. Den Zünder stellte er auf 21.20 Uhr ein. Zu diesem Zeitpunkt mußte Hitler, der üblicherweise mindestens anderthalb Stunden sprach, mitten in seiner Rede sein.

Aber das Wetter durchkreuzte die Kalkulation. Die Vorhersage am 8. November ließ befürchten, daß Hitlers Flugzeug am nächsten Vormittag nicht nach Berlin werde starten können. Dort sollte aber der schon mehrfach verschobene Beginn des Westfeldzuges festgelegt werden. Daher setzte sich eine Ordonnanz mit der Reichsbahn in Verbindung, um Hitlers Salonwagen an den fahrplanmäßigen Zug um 21.31 Uhr anhängen zu lassen. Hitler legte seine Rede auf kürzere Dauer an, auf eine knappe Stunde, beginnend um zehn nach acht.

Während der Redner die Engländer beschimpft wegen des ihnen angelasteten Krieges und mit erhobener Stimme versichert, daß Deutschland eine Armee aufgebaut habe, wie es eine bessere auf der Welt nicht gebe, wird Elser beim Versuch in die Schweiz zu gelangen, von deutschen Zollbeamten festgenommen. Unterdessen schiebt der Adjutant Schaub seinem Führer immer dringlichere Mahnungen zu, die Rede zu beenden. Es ist wie ein untergründiger Wettlauf zweier Uhren: der Elser-Uhr und der Bahnhofsuhr. Die zweite gewinnt. Hitler beendet die Ansprache unter Ovationen, die zwei Hymnen – Deutschlandlied und Horst-Wessel-Lied – werden stehend angehört, Hände werden geschüttelt, erneut Arme gereckt – dann hat Schaub die Hauptperson des Abends endlich an der Saaltür: um 21.12 Uhr.

Acht Minuten später – noch ist die Autokolonne auf dem Weg zum Bahnhof – zerreißt eine Explosion die Feierstimmung. Der Anschlag zerstört den Saal. Acht Tote und dreiundsechzig Verletzte liegen zwischen den Trümmern. Bei der An-

Georg Elser

Der Bürgerbräukeller nach dem Attentat

kunft in Nürnberg erfährt Hitler erste Einzelheiten. «Jetzt bin ich völlig ruhig!» ruft er aus. «Daß ich den Bürgerbräukeller früher als sonst verlassen habe, ist eine Bestätigung, daß die Vorsehung mich mein Ziel erreichen lassen will.»[2]

An der Ostfront war die Katastrophe von Stalingrad vorüber. Die Bemühungen der Gegner Hitlers, ihn auf seinem Wege des Unheils und Verbrechens aufzuhalten, wurden um so aussichtsreicher, je mehr Deutschland in die militärische Defensive geriet. Den Diktator zu stürzen, dieser Wille entsprang nicht erst der Einsicht in den unausweichlichen Zusammenbruch; er war sogar älter als der Krieg selbst. Nur sind Zeiten der Triumphe kein günstiges Klima für Putsch oder Attentat, eher der Nährboden für Verratslegenden. So hatte die Fronde gelähmt abwarten müssen, bis die Kriegserfolge umschlugen in Dauerabwehr und Rückzug.

Koordinator des militärischen Widerstandes war Henning von Tresckow, 1. Generalstabsoffizier («Ia») der Heeresgruppe Mitte. Auf einem Spaziergang mit einem Vertrauten sagte er einmal, plötzlich innehaltend: «Ist es nicht ungeheuerlich, daß sich hier zwei Obersten im Generalstab der deutschen Armee darüber unterhalten, wie sie am besten das Staatsoberhaupt umbringen können? Und doch ist es die einzige Lösung, um das Reich und das deutsche Volk vor der größten Katastrophe in ihrer Geschichte zu retten.»[3] Tresckow ersann Anfang 1943 den Plan, Hitler hierher ins Heeresgruppen-Hauptquartier westlich von Smolensk einzuladen und ihn dadurch Umständen auszusetzen, die für einen Attentäter kalkulierbarer waren als im Führerhauptquartier. Den maßgeblichen Befehlshaber, Feldmarschall von Kluge, konnte er für die Einladung gewinnen, und Hitler sagte zu.

Kluge wußte von Tresckows unbeirrbarer Gegnerschaft, die er duldete; doch Anschläge innerhalb seines Befehlsbereiches lehnte er ab. So entfiel die sonst realisierbare Möglichkeit, den Obersten Befehlshaber durch die schon länger bereitgestellte Kavalleriebrigade des Freiherrn von Boeselager, eines hochdekorierten Haudegens und Mitverschworenen, festnehmen zu lassen.

Tresckow hatte sich daher auf eine andere Gewalttat vorbereitet: auf ein Bombenattentat im Flugzeug. Zusammen mit seinem Ordonnanzoffizier Fabian von Schlabrendorff, der unter Glücksumständen überlebte und von diesen Vorgängen 1946 als erster berichtete, hantierte er lange mit englischen Zündern, die ohne verräterisches Zischen arbeiteten, und war schließlich mit den Versuchsergebnissen zufrieden.

13. März 1943: Nach den üblichen Besuchsankündigungen und Widerrufen, diesem in der Truppe allgemein bekannten und ernstlich kaum wirksamen Sicherungsritual, erscheint Hitler mit mächtigem Gefolge einschließlich Leibarzt und Koch; dieser muß gesonderte Gerichte zubereiten, jener sie vor seinem Patienten kosten. Während der Mittagstafel

Henning von Tresckow

im größeren Kreis, nach den Besprechungen zwischen Hitler, Kluge, den Armeeführern und Stabschefs der Heeresgruppe, fragt Tresckow den Oberst Brandt aus dem Begleitkommando des Besuchers, ob er ein Päckchen mit zwei Flaschen Cognac für Oberst Stieff im Oberkommando des Heeres mitnehmen könnte. Brandt sagt zu und empfängt die als Getränk getarnte Bombe mit eingestelltem Zünder unmittelbar vor dem Abflug aus den Händen Schlabrendorffs. Kurzer Abschied, die Focke-Wulf Condor startet, kurz danach die zweite Maschine mit dem restlichen «Hofstaat».

Die beiden Attentäter haben den Mechanismus so eingestellt, daß die Sprengladung nach dreißig Minuten detonieren müßte. In fiebernder Spannung erwarten sie die Absturzmeldung. Nach zwei Stunden, lange über den berechneten Zeitpunkt hinaus, trifft die Nachricht ein, daß der Führer in seinem ostpreußischen Hauptquartier bei Rastenburg gelandet sei. «Wir befanden uns in einer großen Erregung.»[4] Der Leser von Schlabrendorffs Schilderungen kann es nachempfinden. Denn Stieff, wenngleich Hitler-Gegner, gehörte noch nicht zum Verschwörerkreis. Unter welchen Umständen würde er ahnungslos das falsch deklarierte

«Geschenk» öffnen? Sein unvorgesehener Tod hätte zugleich die Verschwörung aufgedeckt. Tresckow bat Brandt telefonisch, die Sendung nicht auszuhändigen, eine Verwechslung sei unterlaufen. Schlabrendorff reiste, nachdem der Anruf das Verhängnis gerade noch hatte aufhalten können, nach Ostpreußen, überbrachte wirklichen Cognac, nahm den unechten mit und stellte beim Öffnen im Zugabteil fest, daß die Zündung versagt hatte, wohl aufgrund explosionshemmender Temperaturen in der Luft.

Eine neue Gelegenheit ergab sich schon acht Tage später. Hitler wollte anläßlich des Heldengedenktages am 21. März wieder im Berliner Zeughaus sowjetisches Beutegut besichtigen, diesmal zusammengestellt von der Heeresgruppe Mitte. Deren Abwehroffizier Oberst Freiherr von Gersdorff sollte beim Rundgang die Erläuterungen geben. Tresckow faßte diese Personenwahl als Wink des Schicksals auf[5], weihte seinen Generalstabskollegen in die Verschwörung ein und gewann ihn zum Mitmachen, mehr noch: Gersdorff fand sich zum persönlichen Opfer bereit. Er wollte einen Sprengstoffzünder mit kürzest möglicher Laufzeit – zehn Minuten – in seiner Seitentasche auslösen, um sich zum erwarteten Explosionszeitpunkt in nächster Nähe des zu Tötenden aufzuhalten.

Am Morgen des 21. März 1943, einem Sonntag, übergibt Schlabrendorff dem Attentäter im Berliner Hotel Eden den Sprengstoff. Es sind die nicht explodierten englischen Haftminen des Typs «Clam» vom Fehlversuch der vorigen Woche. Tatsächlich findet der Vorführungsbeauftragte Gelegenheit, kurz nach 13 Uhr die Säureampulle des neuen Zünders in seiner linken Manteltasche zu zerdrücken. Wieder hängt Deutschlands Schicksal an einer Zündschnur. Tresckow bei Smolensk hört mit der Uhr in der Hand die Rundfunkreportage über die Feierlichkeit und weiß noch vor Ablauf der zehn Minuten, daß auch dieser Anschlag mißglückt ist. Denn Hitler, als beflügelte ihn eine Ahnung, hat die Ausstellung im Geschwindschritt durchmessen, überall nur flüchtig hingeschaut und das Gebäude rasch wieder verlassen. Das aufregende Nachspiel für den Offizier bestand darin, den Sprengkörper in einem Toilettenraum kurz vor der Explosion zu entschärfen.[6]

Monate vergingen, bis abermals eine Gelegenheit winkte, den Diktator zu beseitigen: beim Vorführen neuer Uniformen im Rastenburger Hauptquartier. Wieder fand sich ein Offizier zum Selbstopfer bereit, diesmal der Hauptmann Axel von dem Bussche, Bataillonskommandeur im Nordabschnitt der Ostfront. «Ich wußte, daß Hitler vernichtet werden müsse, als ich in einer kleinen ukrainischen Stadt [1942] die Exekution von tausendsechshundert Juden erlebte.»[7] Mit Oberst Stieff, dem Chef der Organisationsabteilung im Oberkommando des Heeres, besprach er Einzelheiten, weil jener jetzt zu den Verschwörern gehörte. Mit ihm war

Axel von dem Bussche

er einig, «daß man nur mit vollem Einsatz seiner selbst handeln darf und muß»[8]. Indes, als Bussche im November 1943 mit bereitliegendem Sprengstoff auf die Uniformen wartete, verbrannten sie bei einem Luftangriff in Berlin.

Ehe Ersatz da war, stand der verhinderte Attentäter wieder an der Front. Zu einem schließlich neu anberaumten Vorführtermin gab der Divisionskommandeur ihn nicht frei; seine Offiziere seien keine Mannequins. Wenig später wurde der Hauptmann verwundet und verlor ein Bein. Eine Koalition der Zufälle hatte den obersten Kriegsherrn ein weiteres Mal beschützt. Gelang also gar nichts?

Im Kreisauer Kreis um Helmuth James von Moltke ging man sogar ohne Kenntnis dieser Einzelheiten so weit, «in Hitler eine dämonische Gewalt am Werk» zu sehen, «die nicht einfach aus dem Weg geräumt werden konnte. Um Hitler zu vernichten, so sagten sie sich, müssen ganz andere Kräfte in Aktion treten.» So Marion Yorck von Wartenburg im Rückblick.[9] Bei solcher schon metaphysischen Betrachtungsweise drängten sich manchem Goethes Worte aus «Dichtung und Wahrheit» auf, Worte, die jetzt einen merkwürdigen Gegenwartsbezug gewannen. Nicht zufällig zitiert Schlabrendorff sie in seinem Gedenkbuch «Offiziere gegen Hitler»[10]:

«Es sind nicht immer die vorzüglichsten Menschen, weder an Geist noch an Talenten, selten durch Herzensgüte sich empfehlend; aber eine ungeheure Kraft geht von ihnen aus, und sie üben eine unglaubliche Gewalt über alle Geschöpfe, ja sogar über die Elemente, und wer kann sagen, wie weit sich eine solche Wirkung erstrecken mag? Alle vereinten sittlichen Kräfte vermögen nichts gegen sie; vergebens, daß der hellere Teil der Menschen sie als Betrogene oder als Betrüger verdächtig machen will, die Masse wird von ihnen angezogen. Selten oder nie finden sich Gleichzeitige ihresgleichen, und sie sind durch nichts zu überwinden als durch das Universum selbst, mit dem sie den Kampf begonnen; und aus solchen Bemerkungen mag wohl jener sonderbare, aber ungeheure Spruch entstanden sein: Nemo contra deus nisi deus ipse.»

Wer damals miterlebt hat, wie ein Prototyp des «dämonischen Menschen», ein Massenliebling und vergötterter Volksführer, wie zum Hohn auf alle mißlungenen Versuche, ihn umzubringen, am Ende von eigener Hand gestorben ist, wer Zeitzeuge all dessen war, dem konnten diese Zeilen schon zitierenswert erscheinen.

Tresckow trug schwer an dem immer erneuten Mißlingen, das ja auch jedesmal die ganze verzweigte Gruppe gefährdete. Doch schon vor dem letzterwähnten Fehlschlag war an einen wichtigen Platz im Befehlsstab des Heimatheeres ein Offizier gerückt, auf den sich große Hoffnungen richteten. Oberstleutnant Claus Schenk Graf von Stauffenberg, fünfunddreißig Jahre alt, hatte sich der Verschwörung angeschlossen. Der ursprüngliche Sympathisant und Gefolgsmann Hitlers war über Zweifel und Ernüchterung zum entschlossenen Gegner geworden. Von nun an setzte er seine ganze Willenskraft ein, um dem erkannten Unglück Deutschlands zu wehren. Auch er hatte nun, nach Tresckows späteren Abschiedsworten, «das Nessushemd angezogen», das herakleische Todesgewand. Wer aber «in unseren Kreis getreten ist», dürfe über seinen Tod nicht klagen. «Der sittliche Wert eines Menschen beginnt erst dort, wo er bereit ist, für seine Überzeugung sein Leben hinzugeben.»[11]

Gefolgschaft, Zweifel, Widerstand

Der Schwabe Schiller kannte die Despotie in seinem heimatlichen Württemberg, der Schwabe Stauffenberg kannte sie nicht. Über der Rütli-Szene liegt der Schatten des Herzogs Karl Eugen: «Nein, eine Grenze hat Tyrannenmacht…» Der letzte Landesherr, König Wilhelm II., namensgleich mit dem deutschen Kaiser, hätte dagegen für das Thema des «Tell» nichts hergegeben, jedenfalls nichts Negatives. So beliebt war er unter seinem Schwabenvolk, daß sogar eine sozialdemokratische Zeitung 1916 schrieb: Wenn Württemberg morgen Republik würde und wenn es nach den Bürgern ginge, dann hätte niemand verdientere Aussicht, an die Spitze des neuen Staates zu rücken, als Wilhelm selbst.

Die Aura des Landesvaters, das «Betriebsklima» im Lande strahlte aus bis in den Familienkreis der Stauffenbergs, denn beide Eltern der drei Brüder Berthold, Alexander und Claus standen im Dienst des Hofes: der Vater Alfred als Oberhofmarschall, die Mutter Caroline als Freundin und Gesellschafterin der Königin.

Bis 1918 lebte die Familie Stauffenberg in befriedigenden, vielleicht beglückenden Lebensum-

König Wilhelm II. von Württemberg

ständen. Konnten die nachfolgenden dagegen bestehen? Die Weimarer Republik hätte den Anhängern und Bediensteten des Hauses Württemberg wohl sogar unter weniger drückenden Anfängen und bei gedeihlicherem Fortgang kaum Ersatz für den Verlust bieten können. Statt dessen litt das redliche demokratische Staatsbemühen unter allen erdenklichen Widrigkeiten. Bei den Stauffenbergs durfte die Republik daher nicht auf Unterstützung zählen.

Grafen übrigens waren sie nicht in Württemberg geworden, sondern im Nachbarkönigreich Bayern. Aber schauen wir noch etwas weiter zurück. Die Ahnenreihe des schwäbischen Geschlechts mit bayerischer und fränkischer Verzweigung ist seit 1317 urkundlich nachweisbar.[12] 1698 verlieh Kaiser Leopold I. das freiherrliche Privileg an mehrere Angehörige jener Erblinie, welcher Claus Stauffenberg entstammt. Diese Linie wurde nach dem Ende des alten Reiches, 1806, in der Freiherrenklasse des Königreiches Bayern immatrikuliert. 1874 erhob König Ludwig II. den Freiherrn Franz Schenk von Stauffenberg in den erblichen Grafenstand. Dessen Enkel Alfred, als Besitzer des Gutes Lautlingen am Südrand der Schwäbischen Alb nahe Ebingen, trat 1880 in ein württembergisches Ulanenregiment ein und brachte es bis zum Major, wobei aber seit der Jahrhundertwende der militärische Dienst zurücktrat zugunsten des zivilen bei Hofe: als Kammerherr und Stallmeister. Diesen Berufsweg krönte das Oberhofmarschallamt, das er während der letzten zehn Jahre der Monarchie innehatte. Noch einmal ebenso lange verwaltete Graf Alfred als Präsident der Rentkammer das königliche Vermögen.

Seine Frau Caroline entstammte der alten baltischen Familie Uxkull-Gyllenband, schwedische Freiherren seit Ende des Dreißigjährigen Krieges, deutsche Reichsgrafen seit 1790. Zu den Vorfahren der Gräfin Caroline gehörte der preußische Militärreformer Gneisenau; sie war eine Ururenkelin. Als enge Vertraute der württembergischen Königin mußte sie deren Freizeitvergnügen, das Reiten, teilen; ihr Reitlehrer war der Stallmeister. Ihn, den fünfzehn Jahre Älteren, heiratete sie 1904. Im folgenden Jahr gebar sie die Zwillingssöhne Berthold und Alexander, im November 1907 die Zwillinge Claus und Konrad, von denen der zweite schon am nächsten Tag starb. Geburtsort war Jettingen, ein anderer Familiensitz, zwischen Ulm und Augsburg, im bayerischen Schwaben. Gemäß Stauffenbergscher Familientradition wurden die Kinder katholisch erzogen, obwohl die Mutter evangelisch war, das Königshaus ebenso.

Der höfische Umgang und Berufsalltag, die Beherrschung des Repräsentativen und Zeremoniellen wetteiferten beim Vater mit einer ebenso ausgeprägten unkonventionellen, bisweilen saloppen Art und mit seinen praktischen Fertigkeiten. Er konnte Leitungen verlegen, Möbel aufbessern, Tapeten anbringen, Obstbäume veredeln. Solche Talente gingen der Mutter völlig ab. Den Alltagsdingen begegnete sie mit reizender Naivität, durchschaute kaum die Geheimnisse der Küche, erzog mit

Claus von Stauffenberg
als Kind

Güte, flüchtete aus ihren Hofpflichten zu Goethe und Shakespeare und liebte die Kunst. Alle Söhne lernten ein Instrument: Berthold spielte Violine, Alexander Klavier und Claus Violoncello. Das Künstlerische schlug am stärksten durch bei Alexander, der Gedichte schrieb, und läßt auf mütterliches Erbe schließen. Die später so auffällige Gabe des Organisatorischen beim jüngsten Bruder deutet eher auf den Vater; er muß ja Geschick darin bewiesen haben, einen umfangreichen Hofstaat zu leiten.

Sie haben Beobachtern einen einnehmenden und hoffnungsvollen Anblick geboten, die Stauffenberg-Söhne. Rilke, der mit der Mutter Briefe wechselte, sprach bei Ansicht einer Fotografie (abgebildet auf S. 19 dieses Bandes) von den «drei schönen und schon im jetzigen Ausdruck so vielfach künftigen Knaben»[13].

«. . . dem Staatswohl nützen»

Bei Ausbruch des Ersten Weltkrieges eilten eine Reihe Familienmitglieder der engeren und weiteren Verwandtschaft zu den Fahnen ihres Monarchen und bestätigten damit das übliche Bild einer Schicht, die ihre Standesvorteile mit Waffendienst vergalt. «Die Ehre war gewissermaßen die Komplementärgröße zu den Privilegien. Umsonst gibt es eben nichts, in keinem System.»[14] Die Verlustanteile der adligen Offiziere waren daher unverhältnismäßig hoch. Enthusiastisch wie die meisten Jungen, die den Krieg als großes Abenteuer verklärten, wurde Claus von Tränen überschwemmt, weil seine Brüder sich ausgerechnet hatten, daß sie schon in zehn Jahren hinausziehen dürften, während er weiter zu Hause bleiben müßte.[15]

Im Jahr zuvor war Claus in eine Stuttgarter Privatschule für Elementarunterricht aufgenommen worden und wechselte von dort im Herbst 1916 auf das Eberhard-Ludwigs-Gymnasium, das seine Brüder seit 1913 besuchten. Die letzten Kriegsjahre und die frühen der Weimarer Republik trugen Unruhe ins Schulleben. Erst diente das Gebäude kriegsgefangenen französischen Offizieren als Unterkunft, so daß der Unterricht woanders stattfinden mußte; dann brachen revolutionäre Wirren auch über die Landeshauptstadt des bisher so friedlichen Musterländles herein. Nachdem noch dazu die Wohnung im Alten Schloß hatte geräumt werden müssen (die neue Dienstwohnung in der Jägerstraße 18 nahe dem Hauptbahnhof befand sich noch im Umbau), wich Gräfin Caroline mit den Kindern aufs Land aus. In den folgenden Monaten wurden die Jungen von einer Abiturientin unterrichtet, die zwischen Schulabschluß und Studienbeginn von der Direktorin des Gymnasiums eigens nach Lautlingen geschickt worden war: Elisabeth Dipper. Sie liefert mancherlei Einblicke in das Familienleben und die Lernatmosphäre.

Den Grafen Alfred fand sie, ungeachtet seiner Höflichkeit gegen sie, herrschsüchtig, cholerisch und rücksichtslos. Wenn Alexander vermeintlich grundlose Ausbrüche sich zu Herzen nahm, behielt der elfjährige Claus seinen Gleichmut: *Da hab ich eine ganz andere Theorie – austoben lassen.*[16]

Die Jungen fand sie wohlerzogen, bei viel Freiheit. «Zu bestimmten Zeiten dürfen sie alles tun, sich balgen und schreien und toben, wie ich's noch selten gehört habe; sie sind nämlich alle drei Kraftmenschen, man muß nur erst ihre Stimmen hören, sie können fabelhaft schreien. Aber daß sie beim Essen nicht tadellos ruhig und gerade sitzen oder sonst einmal nicht sofort folgen, das gibt's einfach nicht. Der einzige, der manchmal geschwind eine Ohrfeige fängt, ist Berthold.»[17]

Von den beiden Vierzehnjährigen berichtete sie beeindruckt nach Hause: daß sie schon viele Bücher gelesen haben, die sie, die Lehrerin, jetzt selbst lesen wolle; man habe sich über Oswald Spenglers «Unter-

Die Brüder Stauffenberg

Schloß Lautlingen bei Ebingen, am Fuße der Schwäbischen Alb

gang des Abendlandes» und über die Lebenserinnerungen von Carl Schurz unterhalten. Berthold sei kein angenehmer Schüler, aber nur, weil er so gescheit sei, bohrende Fragen stelle und unerbittlich jede Wissensunsicherheit spüre, weshalb sie, Elisabeth, lieber keine Überlegenheit herauskehre.

Seine geistige Frühreife erwies sich auch an einem Beispiel, das vom Gymnasium überliefert ist. Als der katholische Religionslehrer vor der gemischt-konfessionellen Klasse zum Unwillen vieler Schüler Luther verunglimpfte, habe Berthold, der seine Gefühle ohnehin nicht öffentlich preisgab, dem Lehrer nach der Stunde eröffnet, sein Unterricht werde boykottiert werden, wenn er weiterhin so unritterlich den Religionsgegner bekämpfe.[18]

Während Alexander am Klavier komponierte und Claus unentwegt Pläne zeichnete, wie das «Schloß» umzubauen sei – ein im 19. Jahrhundert errichtetes stattliches Landhaus mit einer Gartenmauer ringsum, vier Ecktürme davor –, war es zugleich selbstverständlich, daß die Söhne des Gutsherrn von Lautlingen bei der Landarbeit mithalfen, sobald sie zupakken konnten. Claus war stolz, als er das Mähen am Hang gelernt hatte.

Es kennzeichnete die Guts- und Grundherrschaften in Deutschland, vornehmlich bei alteingesessenen Familien, daß der adlige Nachwuchs mit allem vertraut wurde, was Grund und Boden erforderten. Er «erwarb» seinen Besitz mit eigener Hände Arbeit, um dadurch sachverständig und verantwortungsfähig zu werden. Den Geburtsabstand zu den Abhängigen sollten die jeweils Nachwachsenden nicht tatenlos als Geschenk annehmen. So «kannten sich Oben und Unten ziemlich genau in jeder Generation», bemerkt Marion Gräfin Dönhoff aus ihren eigenen

Erfahrungen in Ostpreußen, «was eine merkwürdige Mischung von institutioneller Distanz und persönlicher Vertrautheit ergab»[19]. Das Treueverhältnis, das im altdeutschen Feudalleben stets auf Gegenseitigkeit beruhte, festigte sich dadurch immer von neuem. So verwundert auch nicht, daß die Lautlinger sogar im verhetzten Klima der späten Hitlerzeit der verfemten Familie anhänglich blieben.

Bis dahin bedurfte es aber mancher Wendungen im Lebensweg des jüngsten Stauffenberg, der fast über die gesamte Gymnasialzeit hin Architekt werden wollte. Die Neigung ist in Versen des gerade Sechzehnjährigen vom November 1923 aufbewahrt:

Oft ist es mir als müsst ich pläne zeichnen
Von hohen unermesslichen palästen
Mit rotem marmor weissen treppenhäusern
Und märchenlangen lichtbesäten gängen.[20]

Vom Anfang des Jahres ist ein Schulaufsatz erhalten – derselbe Gegenstand in Prosa: *Ich will einmal bauen, Baumeister werden. Ich finde es schön und es zieht mich an, das Zusammenord(n)en von an sich ganz abstrakten Raumgebilden in eine schöne, in der Anordnung vernünftige und sinnreiche, selbstverständliche gebundene Form, das Übereinstimmen von Grundriß und Aufriß, von Innenausstattung und Äußerem, das Abwägen der Verhältnisse zueinander, die angepaßte Linienführung, alles individuell und doch sich in allgemeingültige Werte einfügend…*[21]

Dieser erstaunlich reife Tonfall des damals Fünfzehnjährigen gewinnt geradezu pathetischen Ausdruck, wenn er in jenem Schulaufsatz unter dem vorgegebenen Thema «Was willst du werden?» mit jugendlichem Patriotismus schreibt: *Für alle, die das Vaterland und das neue Reich erkannt haben, gibt es nur den Einen hehren Beruf, den uns die großen Griechen und Römer durch die Tat vorgelebt haben, und den uns die Ritter in höchster Form dargetan haben: Des Vaterlandes und des Kampfes fürs Vaterland würdig zu werden und dann sich dem erhabenen Kampf für das Volk zu opfern; ein Wirklichkeits- und Kampfbewußtes Leben führen. Dieser Beruf muß dann ausgeführt werden mit dem tatsächlichen vereint, muß diesem als Leitgedanke vorangehen.* Seine Freude am Bauen, Stein auf Stein zu setzen, so erläutert er dann, sei *ganz untergeordnet unter das Erlebnis vom Deutschtum, so daß jeder Bau gewissermaßen einen Tempel, der dem deutschen Volk und Vaterland geweiht ist, darstellt*[22].

Zu dieser Zeit kündete ein anderer, der ebenfalls anfänglich hatte Baumeister werden wollen, in flammender Agitation von seinem eigenen «neuen Reich». Untergründig spannten sich hier, bis hin zur Parallele der Berufswünsche, seltsame Verbindungslinien zwischen zwei Patriotismen, die fernen Tages im historischen Zusammenprall aufeinanderstoßen sollten. Daß es bei Hitler wie bei Stauffenberg mit dem Bauen nichts wurde, hatte beim ersten klarer zutage liegende Gründe als beim zweiten, der sich vom Wunschberuf Architektur löste und zur Militärlaufbahn umentschied, ohne bestimmten Anlaß und ohne fixierbares Datum. Die Wende war wohl tiefer in ihm angelegt, zu verstehen ebenso aus Tatendrang wie aus einer staatszugewandten Grundhaltung, die mehr und mehr hervortrat.

Zum früherwachten politischen Denken gehört aber wohl noch kaum der Seufzer vom 15. November 1918: *Einen so traurigen Geburtstag habe ich noch nie erlebt.*[23] Dieses Empfinden lag für den Elfjährigen sicher vorrangig daran, daß die unruhevollen Tage inmitten der halben Revolution nicht die rechte Feierstimmung im königstreuen Hause Stauffenberg aufkommen ließen. Dennoch, für den Jungen brach zugleich die ganze vertraute gesellschaftliche und politische Welt der Kindheit zusammen.

Der Vater betrat nach 1918 nie mehr das königliche Hoftheater, aus Trauer oder Protest, weil der König fort war, wobei er von seinen Kindern keine Trotz-Solidarität verlangte. Tatsächlich wollten sie, mit zunehmender geistiger Selbständigkeit, das Land nicht in den alten monarchischen Formen erneuert wissen, doch hielten sie in einem national-konservativen Sinn erst recht Abstand zur Demokratie und ihren Repräsentanten, voran Friedrich Ebert. Nach der Ermordung des Außenministers Rathenau 1922 durch Fanatiker von rechts zeigten sie sich weniger betroffen, als dieser Verlust für den demokratischen Staat nahegelegt hätte.[24]

Obgleich die demütigenden Bedingungen des Versailler Vertrages das ganze Land, quer durch die Parteien, im vaterländischen Zorn vereinte, gab es doch einen Unterschied: Die politische Rechte lastete die Annahme des Diktatfriedens den demokratischen Kräften als Kapitulation an, und Rathenau war eben deren Exponent gewesen. Wenn Claus Stauffenberg zwei Jahrzehnte später, unmittelbar vor dem militärischen Zusammenbruch Frankreichs, schreibt: *Heute in einer Woche jährt sich der Tag des Versailler Vertrages. Welche Veränderung in welcher Zeit!*[25] – dann zeigt der Satz, wie hier Vorstellungen von «nationaler Schmach» aus den zwanziger Jahren traumatisch zurückgeblieben waren. Sein Bewußtsein muß also frühzeitig von dieser Denkhaltung besetzt gewesen sein. Auch einer der Studienräte des Eberhard-Ludwigs-Gymnasiums, Albert Ströhle, veröffentlichte 1923 eine sogleich weitverbreitete Broschüre des Titels: «Der Vertrag von Versailles und seine Wirkungen für unser deutsches Vaterland».

Andere Einflüsse, die weltanschaulich in ähnliche Richtung wiesen, ohne politisch unmittelbar umgesetzt zu werden, gewannen die Brüder von den «Neupfadfindern», einem Zweig der Bündischen Jugend. Eine verschwommene politische Romantik, nicht nur das Suchen und Sehnen nach Erneuerung erstarrter Lebensformen erfüllte diesen Jugendbund wie viele andere seinesgleichen. Ein Leitsatz im Programm lautete: «...eine kommende deutsche Kultur bedarf eines neuen Menschen, und sie führt in ein neues Reich.»[26]

Die antirepublikanischen Stimmungen im weitgefächerten «nationa-

Die Familie Stauffenberg in Lautlingen, 1923; vorn die Brüder Claus, Berthold und Alexander (von links nach rechts)

len» Gesinnungslager erfüllten die Gymnasien wie die Hochschulen, die Gerichtssäle wie die Offizierskasinos. Alexander Stauffenberg schrieb im November 1923 aus Tübingen, wo er Jura studierte und viel Geschichte hörte (sein später «eigentliches» Fach): «Das Stauffenbergsche Erbe, das die Wichtigkeit der Menelausse und Ciceros für das Emporkommen Deutschlands nicht einsehen will, ist halt sehr stark in mir.»[27] Dieses Erbe rumorte auch schon in dem zweieinhalb Jahre jüngeren Claus. Vom Juli 1922 ist eine Äußerung in einem Schulaufsatz erhalten, wonach der Bürger *in seinem Berufe dem Staatswohl nützen* müsse.[28] Schwerlich war hier das Wohl der Republik gemeint, weit mehr das darüberstehende vaterländische. Dazu trat ein ins Unbestimmte weisendes Ruhmbegehren, wie es 1923 in Versen Ausdruck fand, die unter der Überschrift «Abendland» Berthold gewidmet waren. Claus schloß sich mit den Jahren enger an ihn an als an irgendeinen Freund.

Ich wühle gern in alter helden sagen
Und fühle mich verwandt so hehrem tun
Und ruhmbekröntem blute…[29]

Während dieser mehr und mehr ins Handelnde, Aktive übergehenden Orientierungssuche, die sich dann eines Tages in dem Entschluß, Offizier zu werden, befreite, erschien den Brüdern ein neuer Wegweiser. Wenn er auch ebenso wenig eine genaue Richtung angab wie die Neupfadfinder, so wirkte hier aber eine starke persönliche Anziehungskraft. Stefan George wurde schon seit einiger Zeit unter dem Stauffenberg-Nachwuchs geistig als erste Adresse betrachtet, als ein Gegenwartsdichter, Künder und Rufer, dem die Brüder bald stärkere Faszination abgewannen als anderen liebgewonnenen Größen der Zeitdichtung: Rilke und Hofmannsthal. Und irgendwann im fortgeschrittenen Frühjahr 1923 wurden sie ihm von befreundeter Seite nacheinander vorgestellt und fanden Aufnahme in seinen Kreis.

Meister und Jünger

Inmitten der geistigen Verstörungen nach dem Zweiten Weltkrieg, bei der Suche nach neuen Richtwerten und beim Rückgriff auf humanistische Bildungstradition schrieb der Kulturhistoriker Rudolf Goldschmit-Jentner über Stefan George, der 1933 gestorben war: «Gestalt und Werk werden erst heute allmählich in jene Deutlichkeit gehoben, die uns seine künftige Wirkung ahnen […] läßt.»[30] Daß sie ausblieb – lag dies nur an einer Literaturentwicklung, in der die Lyrik zurücktrat beziehungsweise mit sehr konstruktivistischen Ausdrucksformen experimentierte? Bei Stefan George kam noch anderes hinzu, und der Autor des Jahres 1952 gibt die Antwort in seinem durchaus kritisch-ambivalenten Porträt im Grunde selbst: George habe im Heraufkommen der Masse eher eine vermeidbare Fehlentwicklung gesehen, nicht ein «geschichtliches Schicksal», dem anders zu begegnen war «als mit predigender kämpferischer Opposition der Worte».[31] Indem er also, so können wir den Gedanken fortsetzen, an unausweichlichen Entwicklungen des Zeitalters vorbeisah, raubte er sich den Einfluß auf morgen und übermorgen. In seiner Wirkenszeit aber war der Widerhall stark.

Masse als «geschichtliches Schicksal»: Alexis de Tocqueville hatte sie als Träger demokratischer Staatsformen vorausgesehen, Karl Marx sie zur dynamischen sozialen Kraft des Industriezeitalters erklärt, und Nietzsche war ihr mit schreckhaft geweiteten Augen begegnet. In seiner Abwehr hatte er zu der verzweifelten Ausflucht gegriffen, seine Ängste vor der erahnten Zukunft mit dem Gegenideal eines heldischen Individualismus zu betäuben. Gegen alles Gleichmachenwollen setzte er das heroische, gefährliche Dasein, den Herrenmenschen, die aristokratisch-vornehme Persönlichkeit.

Wer Georges Denkansatz erfassen will, kommt vor allem an Nietzsche

Stefan George

nicht vorbei. Um ein Vierteljahrhundert jünger als der Philosoph, 1868 hineingeboren in ein Zeitalter, in dem Rassen und Klassen als höchste Werte gepriesen wurden, verschanzte sich die empfindliche Natur des Dichters in der Fluchtburg elitären Andersseins. Und hier, abseits vom Getriebe, wo er den unbestechlichen Geist über alles Technische, Soziale, Politische setzte, traf er auch Hölderlin. Der war ihm der Nächste im Wunsch, den Wirrsalen der Gegenwart ein geheimes Deutschland entgegenzusetzen, das die schlummernden Kräfte und Ideale der Nation barg und dessen Verständigungsmittel die ästhetisch makellose Form sein sollte, Maß und Zucht der Sprache. Friedrich Sieburg fand treffend in ihr die «Strenge von Gesetzestafeln»[32], während in unserer Zeit weniger respektvoll vom Georgischen Gepränge[33] gesprochen worden ist. Hinter Georges unbezweifelbar großer Ausdruckskraft stand eine sakrale Auffassung von Wortkunst, die sich nicht natürlich fließend und elementar äußern konnte, sondern nur in einem Predigtstil von poetischem Priestertum. Man hat das Gefühl, er stand mit Hammer und Meißel vor dem Schreibtisch.

Der verworrenen Ungestalt der Zeit antwortete George mit dem gestalteten Kreis einer Gemeinschaft von Freunden und Anhängern, von fast altersgleichen bis zu sehr jungen. Bei aller Spannweite der Beschäftigungen einte sie unbedingte Ergebenheit, die man als Jüngertum gegenüber dem Meister bezeichnen kann, und der Ausdruck «Meister» war in diesem Kreis geläufig.

Die Weimarer Demokratie galt ihm nur als Fortsetzung der schon vorher kranken Zeit, wobei er aber zwischen dem Zeitgeist und den politischen Repräsentanten fair unterschied. Wenngleich seine Freunde bei ihm keine Vorliebe für eine demokratische Gesellschaftsordnung erwarten durften, empfand er doch gewissen Respekt für die führenden Männer der Republik, achtete sie höher als die, die gegen sie putschten; denn d i e s e lehnten einfach nur ab, jene hatten die Verantwortung für eine nichtverschuldete Katastrophe auf sich genommen.[34]

George sprach gegenüber den Seinen viel von neuen Pflichten, ohne sie deutlich zu beschreiben. Der Berufene hatte sie von sich aus zu erkennen. Jedem sei auferlegt, was kein anderer für ihn tun könne und was er nicht umgehen dürfe.[35] Ein besonderer Kenner der «Konservativen Revolution», dieses fast unüberschaubar aufgesplitterten außerparlamentarischen Gruppengefüges im Feindlager der Weimarer Demokratie, spricht von der «unverbindlichen Reichspathetik» im George-Kreis.[36] Sie führte dazu, daß sich ganz unterschiedliche Weltanschauungen auf George beriefen. Daß die Nationalsozialisten ihn zu vereinnahmen suchten, verwundert nicht angesichts der berühmten Verse vom «Neuen Reich» 1921. Sie beweisen, daß niemand seiner Zeit entweichen kann und daß auch George auf fatale Weise an sie gekettet blieb: mit der Sehnsucht nach der starken, ordnenden Hand des Überlebensgroßen.

Der sprengt die ketten fegt auf trümmerstätten
Die Ordnung geisselt die verlaufnen heim
Ins ewige recht wo grosses wiederum gross ist
Herr wiederum herr zucht wiederum zucht er heftet
Das wahre sinnbild auf das völkische banner
Er führt durch sturm und grausige signale
Des frührots seiner treuen schar zum werk
Des wachen tags und pflanzt das Neue Reich.[37]

Angesichts der hakenkreuzähnlichen altindischen Swastika in der Jugendstil-Ornamentik der George-Schriften fiel es nicht schwer, solchen Zeilen Hitler-Nähe abzulesen. In Wahrheit war George viel zu aristokratisch und feierlich, als daß er den vulgären Ausdrucksformen des alltäglichen Nationalsozialismus verfallen wäre, am wenigsten dessen biologistischem Rassenwahn. «Eine neue, gute Rasse schafft nur der Geist, nicht eine Zuchtanstalt», zitiert Edgar Salin in unübersehbarer Abgrenzung den Meister.[38] Gleichviel, das Mißverständnis saß tief – obwohl ihm mit Versen desselben Dichters entgegengetreten werden konnte. Sie lassen umgekehrt den großen Verführer unter den Massen erscheinen, den «Widerchristen»:

Der Fürst des Geziefers verbreitet sein reich
Kein schatz der ihm mangelt kein glück das ihm weicht
Zu grund mit dem rest der empörer! [39]

Im Blick auf das Schicksal Claus Stauffenbergs, des jüngsten Bewunderers im Freundeskreis, gewinnen solche Zeilen des Mentors beklemmenden Sinngehalt, ebenso wie diese:

Du hast des lebens götter-teil genossen
Von glück und traum und schauern wunderbar
Du darfst nicht murren ward dir nun beschlossen
des wahren lebens andrer teil: gefahr.[40]

Ich habe den größten Dichter seiner Zeit zum Lehrmeister gehabt[41]; mehr: *Ich betrachte es als Gnade, [...] dem größten Mann meiner Zeit verbunden zu sein.*[42] Wer so gesprochen hat und wem aus naher Beobachtung nachgesagt worden ist, «daß die Tat vom 20. Juli aus Georgeschem Geiste erwachsen» sei[43], dessen Biographie rechtfertigt nicht nur, sondern nötigt dazu, den so hoch Verehrten in einiger Ausführlichkeit in das Lebensbild einzubeziehen.

Eine Aura hoheitlicher Würde umgab den Mann, wenn er über die Straße schritt, wenn er saß und stand. Im Profil liegen Festigkeit und Willen. Die ausgeprägte Gestalt von Stirn, Nase und Kinn erinnert an das Beethoven-Kapitel in Rilkes «Malte Laurids Brigge»: «Dieser harte Knoten aus fest zusammengezogenen Sinnen, diese unerbittliche Selbstverdichtung...» Nachdem André Gide 1908 in Paris George in einer Gesellschaft getroffen hatte, notierte er: «Bewundernswerter Kopf [...], schönes Hervortreten des Schädelbaus»[44].

Da der Besitzer des Schädels dies wußte, tritt nun das Element der Selbststilisierung auffallend hinzu. Robert Boehringer, Freund und Nachlaßbetreuer, versammelt in einem Gedenkband eine ganze Fotografien-Galerie, in welcher uns heute das Gewollte und Bemühte der bildlichen Eigendarstellung ins Auge springt, offenbar ganz im Gegensatz zu den Zeitgenossen. Ein Künstlertum wird sichtbar, bei dem die Verinnerlichung gleichzeitig zur demonstrativen Gebärde umschlägt. Immer wieder die Seitenansicht, halb Dante, halb Hauptmann, als sollte man persongewordener Dichtung gewahr werden. Was aus dem Abstand der Jahrzehnte wie Magier-Gebaren störend und mindernd wirkt, gehörte zum erzieherischen Programm. George stilisierte sich geradezu auf Dante hin, so daß Friedrich Gundolf festhielt: «In Dante fand George das erhabene Gleichnis seines eigenen Berufes und bis ins Körperliche hinein die eigene Art.»[45]

Dazu paßt, daß der Meister zu besonderen Anlässen ein ganzes kostümiertes Szenenbild arrangierte, Poesie zum Anfassen, er selbst als Dante, Karl Wohlskehl als Homer, um nur dieses ein «Schau-Erlebnis» zu nennen. Wenn aber der nachdenkliche Betrachter hieraus ableitet, der ganze Freundeskreis habe sich in entrückter Sphäre bewegt, so wird er von Alexander Stauffenberg korrigiert: «Was immer der reale Anlaß früher verbreiteter, in jedem Fall weit übertriebener Gerüchte gewesen sein mag: ‹Kultische› Beziehungen, prunkende Gewänder, Weihrauch und geheimnisvolle Riten, solcher Dinge haben wir nicht einen Hauch verspürt. Das Leben verlief bei Tisch, bei den Gängen im Freien, in der abendlichen Runde in äußerster Schlichtheit. Nur den großen Lesungen eignete eine besondere, übrigens selbstverständliche Feierlichkeit.»[46]

Zu den «Gerüchten» gehörte auch das Kapitel, besser: Nichtkapitel, Frauen. Sie wurden nie zu dem Zirkel zugelassen. Mit dem Literaturwissenschaftler Gundolf brach George sogar wegen dessen Heirat. Die Mutter Stauffenberg, besorgt, in welche Gesellschaft ihre Söhne geraten sein könnten bei ihrer enthusiastischen Hinwendung zu dem Mittfünfziger, reiste zu ihm nach Heidelberg. Im Gespräch mit ihm überzeugte sie sich, daß alles Gemunkel haltlos war.[47] Dazu paßt, daß George nach eigenen Worten «nichts zu tun» haben wollte mit «jenen keineswegs erfreulichen die um die aufhebung gewisser strafbestimmungen wimmern» und aus deren Umkreis gerade die widerlichsten Angriffe «gegen uns» geführt worden seien.[48] Hier waren also Grenzen gezogen. Wie jenseits davon Georges ersichtliche Homoerotik beschaffen war, ob priesterähnliches Zölibat sie beherrschte, damit nichts vom hohen Auftrag ablenke – dies zu bewerten, kann nicht Gegenstand einer Stauffenberg-Biographie sein.

Der Mentor lenkte die Freunde behutsam. Er drängte nicht Richtungen auf, sondern ermutigte durch Zuspruch erkennbare Talente. Ihrerseits legten jene ihm Pläne und Ziele offen. Wenn freilich ein begeisterter Neunzehnjähriger dies im George-Stil tut, bis hin zur halbhoch gesetzten Interpunktion, dann kann es wohl nur aussehen wie hier:

Und je klarer das Lebendige vor mir steht · je höher das Menschliche sich offenbart und je eindringlicher die tat sich zeigt · umso dunkler wird das eigene blut · umso ferner wird der klang eigener worte und umso seltener der sinn des eigenen lebens · wol bis eine stunde in der härte ihres schlages und in der größe ihrer erscheinung das zeichen gebe.[49]

Das alles wäre als altersgemäße Schwärmerei beiseite zu legen, wenn nicht eines Tages tatsächlich «eine Stunde in der Härte ihres Schlages das Zeichen gegeben» hätte. Dennoch sollten wir den Text nicht überdeuten, sondern so stehenlassen als Zeugnis einer Aufbruchphase im Blendlicht einer verehrten Größe, mit unsicherem Tasten nach Weg und Ziel. Nur so viel bestätigt sich im Einklang mit früheren Selbstaussagen: Hier entwickelte sich kein betrachtendes Naturell, sondern dieser Heranwachsende drängte zu Tun und Handeln. Dabei zeigte er ein freimütiges, geöffnetes Wesen, war menschen- und lebensnah und konnte dröhnend lachen. Auch wußte er immer taktvoll, wo er sich gerade bewegte. Eine Kennzeichnung aus dem George-Kreis: «Seine seltenen Anwesenheiten

Stefan George mit Claus und Berthold Stauffenberg, 1924

brachten dem Dichter stets Aufheiterung und Freude. In seiner umweglosen frischen Art nahm er – gemäß seiner Altersstufe – an jedem Gespräch, auch höherer Lagen, gleicherweise mit Zurückhaltung wie mit klugem Einsatz teil. Er hat nie auch nur um Haaresbreite Haltung und Gegebenheit seiner jeweiligen Altersstufe verfehlt.»[50]

Als Stefan George fünfundsechzigjährig Ende 1933 an seinem letzten Wohnort Minusio bei Locarno starb, hielt auch Claus Stauffenberg vor der Beisetzung Totenwache am Sarg. George trat nie aus seinem Dasein zurück. *Diese schöne und stets neu begeisternde Gestalt begleitet mich seit vielen Jahren*, heißt es im Februar 1940 kurz vor dem Frankreich-Feldzug in einem Brief, *und zwar als bescheidener reclamband gehört der Titan auch in die karge Feldbücherei, die ich mitführen kann.*[51]

Der Bamberger Reiter

Der Gymnasiast Claus Stauffenberg kränkelte viel. Oft versäumte er die Schule. In den letzten Oberstufenjahren wurde er nur privat unterrichtet. Nicht leicht zu verstehen, wie er sich unter diesen Umständen zutraute, der anstrengenden Offiziersausbildung gewachsen zu sein. Das erstaunlichste aber bei allem: Niemand hätte später in dem Generalstäbler mit

Abiturfeier der älteren Brüder, 1925: Claus von Stauffenberg (im Pullover) mit Alexander (ganz rechts), Berthold und dem Vater

unermüdlichem Arbeitsvermögen und größter Belastbarkeit den anfälligen Jüngling von einst vermutet, der viel unter Grippe und Kopfschmerzen gelitten, dem Handballspiel hatte fernbleiben müssen und an übermütigen Schülerstreichen, wohl aus Selbstschonung, unbeteiligt gewesen war.

Im Februar 1926 ging er, nach behördlicher Bewilligung, als Externer ins Abitur und bestand es ohne herausragende Leistungen: mit «Gut» in Französisch, Geschichte, Erdkunde, Mathematik, mit «Befriedigend» im Aufsatz, in Literatur, Philosophie, Griechisch, Naturgeschichte, mit «Genügend» im Latein.[52] Das Abiturzeugnis nennt als Berufsziel: Offizier. Daß dies günstig aufgenommen wurde, insbesondere vom Vater, dem früheren Major, überrascht nicht angesichts der militärischen Tradition der Stauffenbergs. Claus bedankte sich beim Vater Ende April 1926, schon beim Reiterregiment 17 in Bamberg, in einem Brief: *Unendlich wertvoll ist mir Eure, meiner brüder und freunde zuversicht und anerkennung meiner wahl. […] Dass die ersten jahre meines berufes nicht sehr schön sein würden war mir immer klar: es ist eben für unsereinen nicht leicht längere zeit hindurch den gemeinen zu spielen und auf alles geistige so ziemlich ganz zu verzichten.* Aber, so fährt er fort, wenn dem Vaterland nur der geringste Vorteil erwachsen könne durch mehr geistig bestimmte Menschen, die das Militär nicht nur aus sportlicher Anlage oder aus Begeisterung für Stahlhelm und Märsche suchen, *dann bin ich für das opfer einiger jahre meiner jugend reich entschädigt*[53].

Aber unterstützte er als Soldat, als künftiger Offizier nicht gerade jene Republik, der er innerlich fernstand? Nicht der Republik meinte er zu dienen, sondern deren Namengeber, der res publica, dem Staat, dem Gemeinwesen, letztlich eben dem Vaterland, das von der jeweiligen Staatsform als unabhängig gesehen wurde. Für den Reichswehr-Soldaten Stauffenberg war die Armee eine der wesentlichen Stützen der Nation, dazu berufen, deren Sicherheit und Ansehen zu gewährleisten.[54] Im ähnlichen Sinne hatte Generaloberst von Seeckt die Reichswehr als Chef der Heeresleitung jahrelang beeinflußt: in einer Art von loyaler Distanz, betont unpolitisch, insgeheim auf «bessere Zeiten» wartend. Wie sehr «der Staat» es war, nicht die Staatsform, faßte Stauffenberg Jahre danach, 1934, noch einmal in einer Briefaussage zusammen: *Die wahrhaft aristokratische Auffassung – für uns doch wohl das Primäre – erfordert eben den staatlichen Dienst, gleichgültig in welchem engeren Beruf.*[55]

In der Reichswehr dienten während der Weimarer Zeit rund 21 Prozent Adlige, wobei deren Anteil bei den Stabsoffizieren etwas mehr als 31 Prozent betrug, bei den Generalen sogar 50 Prozent – und dies bei einer adligen Bevölkerungsminderheit von 0,14 Prozent! Hier setzten sich alte Laufbahnstrukturen einfach fort. Das Bündnis der Eliten[56] hatte die Wende von 1918, den politischen und gesellschaftlichen Umbruch mühelos überstanden. Neuer Nachwuchs aus der früheren Herrschaftsaristokratie strömte vermehrt den Fahnen zu, nachdem Feldmarschall von Hindenburg 1925 zum Reichspräsidenten gewählt worden war. Wenn e r sogar bereit war, die Republik zu repräsentieren, dann brauchte man nicht abseits zu stehen; so rechtfertigten damals viele Nationalkonservative den eigenen Dienst in der Reichswehr.

Warum ging Claus Stauffenberg nach Bamberg? Hier gab es einen familiären Bezug. Das dortige Reiterregiment 17 war im Zuge der Truppenverminderung – aufgrund der Versailler Bestimmungen – aus den bayerischen Kavallerieverbänden des Ersten Weltkrieges zusammengestellt worden; damals hatte der Bruder des Vaters, Berthold, als Oberstleutnant das 1. Schwere Reiterregiment befehligt. Seines Neffen frühe Militärjahre waren nicht allein durch den vorausgesehenen Verzicht *auf alles geistige* getrübt, sondern auch durch wiederholtes *entnervendes krankenlager.* Im Juli 1928 schrieb er als Zwanzigjähriger von seinem zehnmonatigen Lehrgang auf der Infanterieschule in Dresden an Max Kommerell, den Literaturhistoriker und George-Freund: *Ich habe verlernt mich über notwendigkeiten eines hartnäckigen schicksals zu beklagen, das immer wieder eine hoffnung auf einige besonders schöne und ent-*

Mai 1925: der neue Reichspräsident Paul von Hindenburg trifft zur feierlichen Amtseinführung in Berlin ein; hinter ihm Reichswehrminister Otto Geßler; der zweite von links: Generaloberst von Seeckt

schädigende tage – gemeint: bei den Freunden – *zunichte macht. Kennst Du das dasein dessen der sich seit jahren in keinem verse ganz geben der kaum mehr eine stunde irgend einer erfüllung […] im dasein volle stunde haben durfte sondern nur treibende und solche voller fragen?* [57]

Den Lehrgang bei der Infanterie hatten Offiziersanwärter aller Waffengattungen des Heeres zu absolvieren, weil die Fußtruppe auch im beginnenden technischen Zeitalter des Kriegshandwerks als Rückgrat der Armee angesehen wurde. Von jenem Kursus bewahrte ein Jahrgangskamerad Erinnerungen an Claus Stauffenberg. Manfred von Brauchitsch, Neffe des späteren Heeres-Oberbefehlshabers der Jahre 1938 bis 1941, selbst berühmter Rennfahrer in den dreißiger Jahren, berichtete dem Historiker Kurt Finker: «Im preußischen Sinne war er nie ein ‹zackiger Soldat›, in seiner Haltung, seinem Auftreten, seinem leicht wiegenden Gang eher salopp, nach damaligen Vorstellungen unmilitärisch. Das hervorstechendste Merkmal an ihm waren seine hervorragenden geistigen Fähigkeiten, sein geschliffener Verstand. Während wir mit dem Unterrichtsstoff Mühe hatten, bewältigte er ihn leicht, begann zusätzlich mit dem Erlernen der russischen Sprache und widmete sich künstlerischer Betätigung.»[58]

Viel kann dies nicht gewesen sein, im Blick auf den vorher zitierten resignierenden Brief (*kaum eine stunde irgend einer erfüllung*); immerhin spielte er abends Cello auf seiner «Stube», die er mit drei etwa Gleichaltrigen teilte, las Homer und besuchte zusammen mit Brauchitsch Museen im Barockparadies Dresden. Jener Zeitzeuge äußerte sich weiter: «Stauffenberg lehnte den stumpfen und oft rüden Kasinogeist ab. Freundschaftlicher Geselligkeit durchaus nicht abgeneigt, verurteilte er jedoch Zechereien und Ausschweifungen der Kameraden und nahm dies auch bei seinen Freunden sehr übel. Seine Einstellung zu den Frauen hatte ebenfalls etwas sehr Eigenes, das durch Zurückhaltung und Ritterlichkeit gekennzeichnet war. Den oberflächlichen Abenteuern der Kameraden stand er mit Ablehnung, ja völligem Unverständnis gegenüber.»[59]

Der reitende Infanterist verließ Dresden im August 1928 als Fähnrich, also im Feldwebelrang, und wechselte auf die Kavallerieschule in Hannover, nun wieder zu seinem erwählten Truppenteil. Auch der dortige Lehrgang gehörte zum Pflichtenkanon des Offiziersbewerbers, sofern er in diesem Militärzweig diente und sich zuvor durch überdurchschnittliches Können empfohlen hatte. Der Kurs dauerte nochmals knapp ein Jahr und endete mit einer Offiziersprüfung, in der «Stauff», wie die Kameraden ihn nannten und er selbst auch Briefe unterschrieb, als Sechst-

Claus Graf Stauffenberg. Bronzebüste von Frank Mehnert, 1929

bester abschloß und einen «Ehrensäbel» für hervorragende Leistungen empfing.[60] Das körperliche Befinden muß sich derweil langsam gefestigt haben, wie ein Brief an George von einem Übungsplatz in der Lüneburger Heide erkennen läßt: *Von mir ist weiter nichts zu berichten als daß es mir dienstlich wie gesundheitlich gut geht und daß ich mich seit frühjahr mehr mit körperlichen als geistigen dingen betätige.*[61]

Zurück in Bamberg, erlangte der Zweiundzwanzigjährige am 1. Januar 1930 die Eingangsstufe der Offizierslaufbahn, den Leutnantsrang. Von hier aus ging es im November desselben Jahres den Winter über zu einem Lehrgang für Geschütz-Zugführer in Döberitz bei Berlin – mit anschließender Übernahme eines Minenwerfer-Zuges in seinem Heimatregiment. Der Kavallerist nun auch noch bei der Artillerie? Hier ging es um die Kombination beider Waffengattungen. Selbst als die Reiterei noch als geschlossener Kampfverband operierte, waren die Pferde immer schon technische Hilfstruppe im Gespanndienst gewesen. Keine Kanone, von Eisenbahngeschützen abgesehen, die ohne Pferdekräfte an ihren Platz gelangte. Natürlich mußte Stauffenberg überdies mit dem Minenwerfer technisch vertraut werden. Das paßte zu seinem immer wieder erkennbaren Bestreben, sich in seinem Berufsfeld möglichst vielseitig sachkundig zu machen.

Spätestens vom September 1930 an, mit dem Durchbrucherfolg der NSDAP bei den Reichstagswahlen, hielt der Weltkriegsgefreite Hitler Einzug in die Offizierskasinos – nicht in Person, aber als Name. Einstweilen sympathisierte der Leutnant Stauffenberg mit seinem späteren Todfeind. Gern hörten er und seine Kameraden Hitlers rückhaltlose Bekenntnisse zum Soldatentum, zum Heer, das er «als größten Wertfaktor [...] unseres Volkskörpers» und «als gewaltigste Schule der deutschen Nation» bezeichnete.[62] «Mein Kampf», woraus die Zitate stammen, mußte dazu nicht einmal gelesen werden (nur wenige kannten das zweibändige Buch von 1925 und 1927); der Autor wiederholte ja ständig, was er zuvor seinem Privatsekretär Rudolf Heß diktiert hatte. Und wer nicht in seine Versammlungen ging, las darüber in den Zeitungen. Immer wieder pries der Weltkriegsmeldegänger und überwältigende Demagoge die Feldgrauen, ihre Tapferkeit und ihr Durchhaltevermögen angesichts der Übermacht des Feindes.

Trotz dieser Übermacht erkannte er, wie so viele, die Niederlage von 1918 nicht als zwangsläufig an. Und da man doch «eigentlich» unbesiegt war, brannte um so schmerzhafter der Stachel Versailles. Unermüdlich verdammte der Volksredner den Friedensvertrag und rief zur nationalen Erweckung auf, zur Befreiung vom fremden Joch, zum Wiedererringen der Wehrhoheit. Hier lagen wesentliche Gründe für Claus Stauffenberg, dem Mann aus Braunau Aufmerksamkeit zu widmen. Schon das Parteiprogramm von 1920 hatte alles, was der Parteiführer jetzt endlos variierte, in Artikel gefaßt, so auch: «Wir fordern die [...] Aufhebung der Friedens-

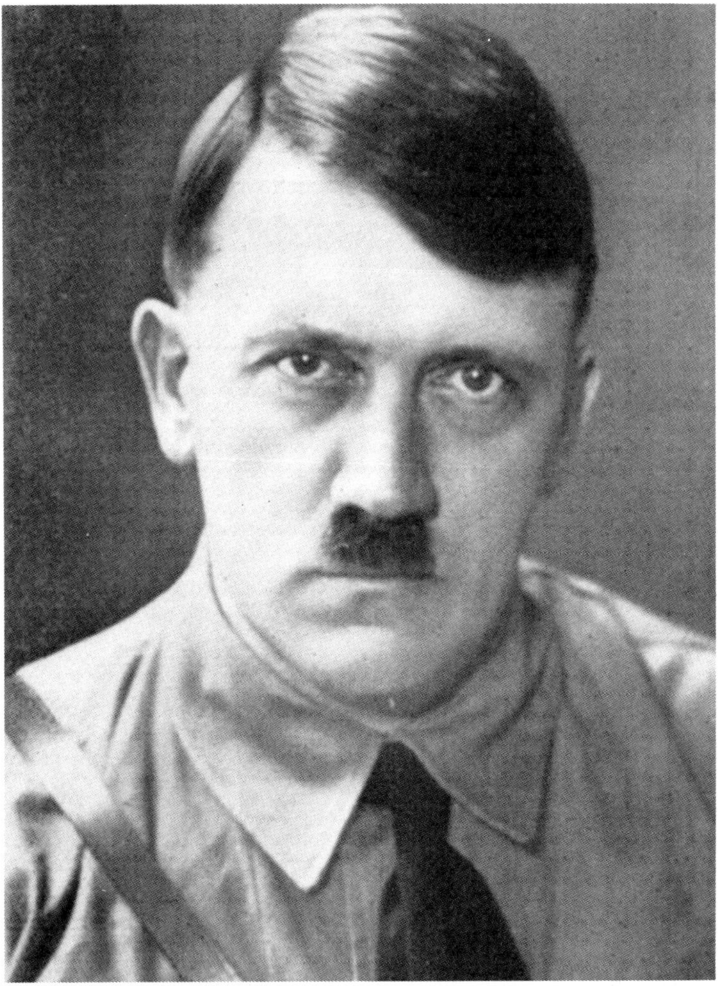

Adolf Hitler. Fotografie aus «Mein Kampf»

verträge von Versailles und St. Germain» (Art. 2); «Wir fordern die Abschaffung der Söldnertruppen und die Bildung eines Volksheeres» (Art. 22).

Wie viele nationale Hoffnungen Hitler gerade beim Heer auf sich vereinigte, geht aus den Biographien der meisten Widerständler hervor. Im Personenkreis vergleichbarer Altersstufe und Dienstränge standen Offiziere wie Hofacker, Mertz von Quirnheim, Oster, Stieff, Tresckow zunächst im antidemokratischen Lager.[64] Hitler hatte ihnen nach ihrem Verständnis mehr anzubieten: weil er in schärfster Tonart für Deutschland alles das reklamierte, was die Demokraten weit maßvoller in der Methode – durch zähes Verhandeln, also auf dem Verständigungswege – zu erreichen suchten.

Nicht weniger als Hitlers außen- und militärpolitische Forderungen sprachen Stauffenberg dessen Appelle zur «Überwindung des Klassenwahnsinns und Klassenkampfes»[65] an. Hier wurden frühe Lektüreeindrücke politisch bestätigt. Einer der jungen poetischen Sprecher der Weltkriegsteilnehmer, Walter Flex, hatte aus den Erfahrungen im Schützengraben heraus die Chance zur Versöhnung zwischen den Volksschichten erkannt. Bei dem jungen Leser in Stuttgart und Lautlingen hatte das von Flex beschriebene Erlebnis der Frontkameradschaft Eindruck hinterlassen.[66] Dies blieb für ihn nicht nur ein Leseideal. Er, der seiner Herkunft sehr bewußt war, aber nur im Sinne der daraus erwachsenden besonderen Pflichten, bemühte sich mit Erfolg um gutes Einvernehmen mit Menschen anderer Schichten. Das beweist ein Brief an Max Kommerell zwischen Ende 1929 und Anfang 1930: *Mit untergebenen, bauern und soldaten ist ein schönes auskommen und eine gleichmäßige gegenseitigkeit der bitten und erfüllungen. Anders mit kameraden der ‹gleichen bildungsstufe› deren stolz dummer hochmut und deren kameradschaft dürftiger egoismus ist.*[67]

Der Regimentskamerad Bernd von Pezold sah dies ganz ähnlich; er bestätigt Stauffenbergs Aussage: «Für sein inneres Verhältnis zu einem anderen Menschen – es war bei äußerlich gleich scheinender Liebenswürdigkeit sehr differenziert – war nur dessen innerer Wert, [waren] nicht die äußeren Umstände bestimmend. So konnte sein Verhältnis zu manchem Soldaten oder Unteroffizier vertraut und herzlich sein, während irgendeine ‹Prominenz› trotz sichtlicher Bemühungen eine höfliche, aber nicht zu übersehende Distanz nie überwinden konnte.»[68]

Wer also damals gleichermaßen nationale wie soziale Bedürfnisse in der Weise zu befriedigen versprach wie Hitler, indem er das deutsche Selbstwertgefühl bestärkte und die «Volksgemeinschaft» zum inneren Ideal erhob – der konnte auf Claus Stauffenberg zählen. Daß Juden von der Volksgemeinschaft ausgeschlossen bleiben sollten, übersah der junge Beifallsspender wohl zunächst. Er begrüßte die Ernennung Hitlers zum Reichskanzler am 30. Januar 1933, wie vielfach bestätigt wird. Da er die genannten Ziele des Nationalsozialismus befürwortete, war dies logisch.

In der Literatur umstritten ist dagegen, ob er, wie von den einen bezeugt, von den anderen verneint, an jenem Tag in Uniform einen Demonstrationszug Begeisterter in Bamberg angeführt beziehungsweise mitangeführt habe. Peter Hoffmann vergleicht in seiner großen Stauffenberg-Biographie von 1992 noch einmal alle Zeugnisse für und wider und mißt den fürsprechenden am Ende größeres Gewicht bei, indem er sogar seine eigene gegenteilige Ansicht von früher aufgibt: «Stauffenberg [geriet], unterwegs zu einer Abendeinladung, in Uniform in eine begeisterte Menschenmenge und zog an der Spitze mit»[69], wobei dies nicht ein «Anführen» des Zuges bedeuten mußte. Zur Begründung habe der Zufallsdemonstrant hinterher erklärt, die überschwenglichen Bürger hätten es nicht verstanden, wenn ein Offizier sich in solcher Lage beiseite gedrückt hätte.[70]

«Der Führer», wie ihn die Gefolgsleute schon zehn Jahre vor dem 30. Januar 1933 genannt hatten, später sogar die erbittertsten Gegner ihn zu nennen beibehielten, weil dies allgemeiner, volkstümlicher Gebrauch, Militärgepflogenheit und amtliche Bezeichnung war – er stand bei Claus Stauffenberg noch aus anderen Gründen in Gunst. *[...] keine Partei sondern Herren machen umwälzungen und jeder der für seine Herrschaft einen sicheren sockel baut ist ob seiner klugheit zu loben,* betonte der zum Oberleutnant Beförderte im Juni 1933 gegenüber George.[71] Hier trafen sich beide in der gemeinsamen Auffassung von den «Männern, die Geschichte machen». Die Sichtweise, wie der Schüler sie bei seinem Lehrer vorgefunden hatte, muß ihn, je länger je mehr, angesprochen haben, weil er selber tatentschlossen war. So sah es auch Rudolf Fahrner, der Germanist, der eine Weile selbst der braununiformierten Suggestion erlegen war und lange nach dem Krieg zurückschaute:

Stauffenberg sei wesentlich von «Kräften, die zur Auswirkung drängten», bestimmt worden. Er «beobachtete und beurteilte als ein selbst zum Handeln Begabter und Getriebener Hitlers Emporkommen und Wirkung mit großem, sachlichem Interesse». Er habe in ihm den Typus eines modernen Massenbewegers mit einer erstaunlichen Potenz des ‹Trommlers› gesehen, eines Menschen, der imstande gewesen sei, durch wirkungsmächtiges Vereinfachen vorgefundener Gedanken eine große Gefolgschaft zu sammeln und «auch gegen ihren eigenen Vorteil zu Hingabe und Opfer zu begeistern». Den jungen Offizier habe das Kraftfeld bewegt, das dieser Mann zu erzeugen vermochte, seine Vehemenz, die unmöglich Erscheinendes in einer festgefügten Welt plötzlich als realisierbar vor Augen stellte. Das größte Phänomen dabei sei immer wieder, wie Fahrner schreibt: «daß Hitler bei aller Niedrigkeit seiner Natur auch ursprüngliche und echte Anliegen einer Erneuerung angesprochen habe und dadurch auch Menschen von idealem Denken und hohen Zielen von ihm angezogen wurden»[72].

Während der Jahre, in denen Deutschland aus dem Niedergang der Weimarer Demokratie erst gleitend, dann ruckhaft in die Diktatur überging, indes der jüngste Stauffenberg-Sohn die ersten Stufen auf der militärischen Karriereleiter überwand, in diesen Jahren kümmerte sich der blendend aussehende Mittzwanziger zugleich um sein Privatleben. An

Bamberg, 26. September 1933: Hochzeit mit Nina von Lerchenfeld

seinem 23. Geburtstag, 1930, hatte er sich mit der im Jahre 1913 geborenen Nina von Lerchenfeld verlobt (unmittelbar vor dem Lehrgang in Döberitz); am 26. September 1933 heirateten sie.

Gustav von Lerchenfeld, der Vater der Braut, entstammte freiherrlich fränkischem Geschlecht, die Mutter baltischem, gleich der Gräfin Caroline. Indem sich bei den Lerchenfelds wie bei den Stauffenbergs süddeutscher und nordostdeutscher Adel verbunden hatten, zogen jetzt auch wiederum zwei Konfessionen unter ein Dach, denn Nina war evangelisch getauft. Auch hier würden beider Kinder, das war entschieden, katholisch erzogen werden wie schon die Brüder Stauffenberg.

Lerchenfeld hatte in kaiserlich konsularischem Dienst gestanden, von Kowno bis Shanghai. Die Familie führte ein Stadthaus in Bamberg. Gelegentlich lud sie Offiziere des Regiments zu sich ein. Der Freiherr und der Leutnant unterhielten sich sachverständig über ein Lieblingsgebiet: Pferde.

Die Tochter Nina war anfangs nicht zu Hause, sondern, im Anschluß an Bamberger Lyzeumsjahre, in einem Mädcheninternat in Wieblingen bei Heidelberg. «Eigentlich war meine Mutter die erste, die mir von ihm vorschwärmte, er sei so gut erzogen und er küsse den Damen korrekt die Hand; da war ich sechzehn und lernte ihn auf einem Ball kennen. Meine Freundinnen schwärmten auch: der Stauffenberg, der tanzt so gut, und ich weiß nicht was, und da war ich erst einmal voller Widerspruch. Das hat sich dann ziemlich schnell geändert, wie das eben so geht, und dann haben wir uns verlobt.»[73] – «Seine Hände», so nochmals Nina von Stauffenberg im Rückblick auf ihre beginnende Lebensbindung, «waren feingliedrig und männlich zugleich. Sein Mund über dem energischen Kinn wirkte fast mädchenhaft. Die Farbe seiner klarblickenden Augen changierte von Stahlblau über Grau bis ins Schwarze.» Mit ihr habe er nicht über Pferde geredet, sondern über Musik.[74]

Die Anziehungskraft des schlanken Menschen von einem Meter fünfundachtzig, dessen Gesicht Schönheit, Intelligenz und Willenskraft, Weichheit und Härte eindrucksvoll vereinigt, muß groß gewesen sein; denn seine Äußerungen über den Zweck der Ehe waren eher geeignet abzuschrecken. Warum er gerade sie erwähle – die Frage des jungen Mädchens beantwortete er mit der Auskunft: *Ich habe sehr schnell gemerkt, daß D u die richtige Mutter für meine Kinder bist.*[75] Der künftigen Schwiegermutter gegenüber ging er das Thema noch ungeschminkter an. Es kam schon einer Provokation gleich, Friedrichs des Großen Ansicht zu bemühen, wonach die Frau ein notwendiges Übel sei, denn eigentlich sollte der Krieger nicht heiraten, doch müsse er im Frieden dem Bedürfnis nach Familie und Nachwuchs Genüge tun.[76] War dies wirklich ernst gemeint oder nur eine seiner gern geübten Herausforderungen, um die Meinung des Gegenübers hervorzulocken und die eigene im Disput zu klären? Waren die Gefühle für Nina tief, dann lag hierin ein sehr riskantes Experiment.

Die richtige Mutter für meine Kinder – das muß sie allerdings gewesen sein; es wurden fünf: 1934 kam Berthold zur Welt, 1936 Heimeran, 1938 Franz Ludwig, 1940 Valerie, Ende Januar 1945 Konstanze, ein halbes Jahr nach dem Tod des Vaters.

Aus dem Zeitabschnitt der persönlichen Lebenswende, als außerdem Stefan George im Tessin zum Tode erkrankte und starb und als Stauffenbergs bekanntestes fotografisches Porträt entstand, aus dieser Zeit stammt außerdem eine sehr abgerundete Charakteristik. Geliefert hat sie der Rittmeister Hans Walzer. Im Reiterregiment 17 befehligte er die

1. Eskadron, eine von fünf (die unterste kavalleristische Einheit, gleichsam die Kompanie bei der Reiterei; sie wurde 1935 in Schwadron umbenannt). Walzer beurteilte den Oberleutnant Stauffenberg so:

«Zuverlässiger und selbständiger Charakter mit unabhängiger Willens- und Urteilsbildung. Besitzt bei ausgezeichneten geistigen Anlagen überdurchschnittliches taktisches und technisches Können. Vorbildlich in der Behandlung von Unteroffizieren und Mannschaften, besorgt um Ausbildung und Erziehung seines Minenwerferzuges. Gesellschaftlich und kameradschaftlich von einwandfreiem Verhalten. Zeigt viel Interesse für soziale, geschichtliche und religiöse Zusammenhänge. Sehr guter, verständiger Reiter, mit viel Liebe und Verständnis für das Pferd.

Neben diesen ausgezeichneten Eigenschaften dürfen kleine Schwächen und Mängel nicht unerwähnt bleiben. Seines militärischen Könnens und seiner geistigen Überlegenheit bewußt, neigt er gelegentlich gegenüber Kameraden zur Überheblichkeit, die sich leicht spöttisch äußert, aber nie verletzend wirkt. Etwas salopp in Haltung und Anzug, dürfte sein Auftreten als junger Offizier etwas frischer und energischer sein. Er ist etwas anfällig gegenüber Halsentzündungen, wodurch seine körperliche Widerstandskraft manchmal beeinträchtigt wird. Mit Energie und zähem Willen kämpft er dagegen an.

Berechtigt bei fortschreitender Entwicklung zu den besten Hoffnungen.»[77]

Soldaten dieses Schlages hatten nach früherem Sprachgebrauch «den Marschallstab im Tornister». Nichts dürfte der Einlösung solcher Vorhersage entgegengestanden haben, wäre nicht der Staat, dem der Oberleutnant diente, an den Verbrechen seiner herrschenden Clique und ihrer Helfer zugrunde gegangen, ehe noch die Laufbahn aus der unteren und mittleren Ranghierarchie in die obere gelangt war. Am Willen, dahin aufzusteigen, hatte es nicht gefehlt. «Er war sich in aller Bescheidenheit nüchtern darüber klar, außergewöhnlich, ja, bedeutend zu sein», so Nina von Stauffenberg.[78]

Das Bewußtsein des eigenen Wertes und Könnens äußert sich leicht in Widerspruchsgeist oder selbstgefälliger Lässigkeit. Wenn Vorgesetzte dies nicht souverän übergehen, sondern als respektlos werten, dann kann geschehen, was in Bamberg geschah. Der Kommandeur des Regiments 17 ließ seinen unbequemen Untergebenen als «Bereiteroffizier» nach Hannover versetzen. Das glich einem Abschieben dessen, dem kürzlich noch in seinem Personalbogen die besten Aussichten zugesprochen worden waren. Eine interessante Aufgabe, das «Bereiten» von Pferden, gewiß, nur keine laufbahnfördernde. Dem Offizier war aufgegeben, täglich vier Pferde zu trainieren, womit auch Wettbewerbe wie Dressur und Military verbunden waren. Der im Reitsport mittlerweile sehr gewandte Kavallerist schlug im Wettkampf sogar Konkurrenten, die 1936 bei den Olympischen Spielen in Berlin mit Erfolgen glänzen sollten. Noch der

Claus Graf Stauffenberg, 1934

Schwerverwundete brachte es 1944 fertig, mit nur e i n e r, dazu halb gebrauchsfähigen Hand ein Pferd zur Dressurübung Piaffe (Trab auf der Stelle) zu bewegen.

Es ist nicht überliefert, mit welchen Gefühlen Oberleutnant Stauffenberg in Hannover seine kleinen sportlichen Triumphe genoß, während

Stauffenberg (links) mit seinem Burschen Hans Kreller bei einem Turnier (Gruppenspringen) in Heiligenhaus, Mai 1935

Gleichaltrige in der «eigentlichen» Laufbahn an ihm vorbeizuziehen begannen. Dies traf übrigens ebenso für die Brüder zu, die auf ihren Gebieten Karriere machten. Alexander, seit 1931 Privatdozent für Alte Geschichte, gelangte schon mit knapp über dreißig Jahren auf den Würzburger Lehrstuhl für dieses Fach. Berthold, der als Völkerrechtler beim Internationalen Gerichtshof in Den Haag Ansehen erworben hatte, stieg 1935 am Kaiser-Wilhelm-Institut in Berlin vom Assistenten zum Wissenschaftlichen Mitglied auf und wurde überdies in den Ausschuß für Kriegsrecht im Reichskriegsministerium berufen, wo er sich bald zum maßgeblichen Fachmann für Seekriegsrecht entwickelte.

Aus zeitgenössischen Beurteilungen wie aus der Rückschau Überlebender reihen sich aufgrund von Freundschaft oder dienstlicher Nähe Eindrücke aneinander, die Claus Stauffenbergs Charakterbild mit bezeichnenden Einzelzügen versehen, so daß schrittweise ein Ganzes entsteht. Einiges wurde schon zitiert. Der damalige Rittmeister und spätere General Heinz Greiner fand den jüngeren Offizierskameraden in Kasinokreisen ziemlich dominierend: «Zumeist riß er sofort das Wort an sich und dozierte gleichsam. Es gelang ihm dies wegen seiner auffälligen geistigen Überlegenheit leicht. Bei seinem ausgeprägt starken Selbstbewußtsein und zweifellos vorhandenen Geltungsbedürfnis hörte er sich selbst gerne reden. Aber auch sein Kameradenkreis hörte ihm gerne zu.»[79] Bernd von Pezold erklärt dies damit, daß «eine anziehende, überzeugende und vertrauenerweckende Wirkung» von ihm ausgegangen sei und er «jedem Gespräch Niveau» gegeben habe.[80]

Der Turnierreiter im Militärdienst, der seiner Frau gestand, *Ja, man ist ehrgeizig! Man will etwas werden*[81], legte Ende Juni 1936 die «Wehrkreisprüfung» ab, der sich die Offiziere nach zehnjähriger Zugehörigkeit zur Armee zu unterziehen hatten. Taktische Aufgaben standen hierbei im Vordergrund. In den knapp zwei Jahren in Hannover hatte er überdies viel Zeit aufgewendet, die englische Sprache, die nicht Schulfach gewesen war, bis zum Reifegrad des Militärdolmetschens zu erlernen. Das Examen fiel so gut aus, daß er Urlaub für eine zweiwöchige Englandreise erhielt, zuzüglich 500 Mark in Devisen aus dem Staatssäckel, das gerade in dieser Hinsicht sonst sehr zugeschnürt war. Großbritanniens militärische Stärke war auch bei genauem Hinschauen nur unzulänglich einzuschätzen, schon gar nicht ohne den Blick in das riesige «Hinterland» des Commonwealth. So blieben dem Inselgast aus Hannover trotz seines Besuches bei der Militärakademie in Sandhurst spätere Fehlurteile über die Kraft dieses Gegners nicht erspart.

Auf der Kriegsakademie

Mitte der dreißiger Jahre begann Deutschland stürmisch aufzurüsten. Das Hunderttausend-Mann-Heer der Weimarer Reichswehr hatte bis zum Herbst 1934 ohnehin schon einen fast zweieinhalbfachen Umfang erreicht. Nun erging im März 1935 das Gesetz über den Aufbau der Wehrmacht. Bis 1939 sollten auf der Grundlage der wiedereingeführten allgemeinen Wehrpflicht sechsunddreißig Divisionen in Gesamtstärke von 580 000 Mann aufgestellt sein. Damit war der Artikel 160 der Versailler Bestimmungen einseitig aufgekündigt. Propagandaminister Goebbels begründete das Gesetz damit, daß zwar ein hundertjähriger Friede für die Welt segensreich sein würde, aber «eine hundertjährige Zerreißung in Sieger und Besiegte erträgt sie nicht»[82]. Die Sieger nahmen die stolze Eigenmächtigkeit der Besiegten hin. Besonders die Engländer plagte ein schlechtes Gewissen, weil sie dem französischen Rachedenken nach 1918 zu sehr nachgegeben hatten. Daraus wieder erwuchs die langwährende Appeasement-Politik. So zeugte das eine Übel aus sich jeweils das nächste.

Der Revisionist Hitler, der Vertragsfesseln sprengte und Deutschlands Platz unter den Großmächten herrisch zurückverlangte, fand im Volk verbreitete Zustimmung dafür, um so mehr, als er jeden Verdacht auf gewaltsame territoriale Aneignung in Reden und Interviews von sich wies. Die Truppe sah sich von ihrem neuen Oberbefehlshaber (seit Hindenburgs Tod im August 1934) im Aufbau gefördert, im Rang bestätigt, zumal durch die Entmachtung der SA in der Röhm-Affäre Ende Juni 1934; sogar die Ermordung zweier Generäle war ohne Protest hingenommen worden. Aussichtsreiche Karrieren lagen vor jedem tüchtigen Offizier. Persönlicher Laufbahn-Ehrgeiz und dazu die patriotische Überzeugung, Unrecht werde wiedergutgemacht, sorgten in der Armee für eine regimefreundliche Stimmungslage, wobei das Offizierskorps zwischen dem Führer und der Partei deutlich unterschied. Die NSDAP drang ins militärische Lager zunächst überhaupt nicht vor und später nur langsam. Das selbstbewußte Heer (von der Marine gar nicht zu reden) schaute auf die oft pöbelhaft sich gebärdenden Parteigenossen verächtlich herab und hielt auch deutlich Distanz zur elitär sich herausputzenden SS, dem Orden unter dem Totenkopf.

An Claus Stauffenberg lassen sich diese Wertungsunterschiede ablesen: noch lange Lobendes über Hitler, aber schon frühzeitig Abrücken von der Parteiherrschaft. Deren kirchenfeindliche Politik (die natürlich nicht gegen den Diktator möglich war, im Grunde also von ihm gebilligt wurde) beantwortete er damit, daß er demonstrativ in Uniform in die Kirche ging. Der Kirchgang an sich blieb aber Ausnahme. Berthold erläuterte dies 1944 vor der Gestapo so: «Wir sind nicht das, was man im eigentlichen Sinne gläubige Katholiken nennt. Wir gingen nur selten zur Kirche und nicht zur Beichte. Mein Bruder und ich sind der Meinung, daß aus dem Christentum heraus kaum noch etwas Schöpferisches kommen könnte.»[83] Hier sprach Stefan George aus ihm.

Im Oktober 1936 geriet der England-Heimkehrer ins System der Begabtenauslese. Ungefähr jeder Zehnte aus der Wehrkreisprüfung, darunter der Oberleutnant Stauffenberg, wurde auf die Kriegsakademie in Berlin-Moabit delegiert. Das Ergebnis dieses Ausbildungsganges – früher drei Jahre, zu jener Zeit zwei – entschied darüber, ob der weitere Weg im Generalstab fortgesetzt werden würde oder im normalen Truppendienst. Der große Bedarf an Stabsoffizieren bewirkte, daß dieses Netz enger geknüpft wurde, also mehr Absolventen der Kriegsakademie darin hängenblieben und somit den angesehenen Weg des Generalstäblers antreten durften. Von 1936 bis 1938 erreichte deren Zahl 30 bis 40 Prozent der Moabiter.[84] Die roten Tuchstreifen an den Uniformhosen wiesen diese Erfolgreichen dann schon äußerlich dem «elitärsten Männerzirkel der Welt»[85], dem deutschen Generalstab zu.

Die Offiziersschüler wurden in verschiedenen Hörsälen unterrichtet. Im Hörsaal Ib saßen drei zukünftige Obristen, die wir als Verschwörer und Opfer des 20. Juli kennen: neben dem Attentäter sein enger Vertrauter Albrecht Mertz von Quirnheim sowie Eberhard Finckh.

Stauffenberg als Oberleutnant

Die erste längere Exkursion führte die Kursteilnehmer im Juni 1937 nach Ostpreußen, dabei auch auf das Schlachtfeld von Tannenberg. Eine Postkarte aus Allenstein ging an den Freund Frank Mehnert, der sich als Bildhauer Viktor Frank nannte: *Landschaftlich ist Masuren und Ermland sehr schön mit seinen Seen und Wäldern, Baulich alles was auf den Orden zurückgeht…*[86] Der Blick des angehenden Generalstäblers war eben nicht nur aufs Militärische eingeengt wie beim berühmten Schlieffen, am Jahrhundertbeginn. Von seinem Adjutanten während solch einer Reise dort im Nordosten auf die Schönheit des in der Morgensonne glitzernden Pregeltales hingewiesen, hatte der Generalstabschef unbewegt entgegnet: «Als Hindernis ohne Bedeutung.»[87]

Neben Geländeübungen, Reisen, Teilnahme an Manövern gehörten auch Vorträge zum Lehrprogramm. Einmal, im Spätjahr 1937, erschien zu solchem Zweck der deutsche Botschafter in Moskau, Werner von der Schulenburg. Vor dem Hintergrund der «Säuberungen», die die Rote Armee eines Großteils ihrer Führung beraubten, bezweifelte der Botschafter sowjetische Angriffsabsichten für absehbare Zeit, warnte aber vor der bewährten Stärke Rußlands in der Defensive: durch die Größe des Landes, die zähen und anspruchslosen Menschen, die große Bevölkerungszahl.[88] Was die Diplomaten als Landeskenner richtig einschätzten, entzog sich dem Blick nicht nur der deutschen politischen Führung mit der fixen Idee vom «Volk ohne Raum», sondern wurde ebenso von der gewöhnlich nüchtern denkenden Generalität verkannt. Wie sollte der Nachwuchs es dann besser wissen und sich vom Menetekel Napoleon schrecken lassen…

Ein anderer Gast, aber nicht nur für einen Abend, war aus Amerika gekommen. Obwohl bereits examinierter Generalstäbler, nahm Captain Albert C. Wedemeyer in einem Nachbarhörsaal an den Vorlesungen teil. Der spätere General fand in Moabit Gelegenheit, deutsche und amerikanische Ausbildungsgänge zu vergleichen. In der Angriffsunterweisung – strategisch und taktisch – und dabei vornehmlich im Umfassen feindlicher Verbände besaß die deutsche Generalstabsschule bis weit in den Zweiten Weltkrieg hinein unerreichte Qualität. Weitschauend, plante sie auch nicht mehr den Krieg von gestern, wie dies die Generäle vor dem Ersten Weltkrieg, die Leutnants von 1870, getan hatten, sondern bezog schon Luftlandetruppen, eine selbständig operierende Panzerwaffe und Panzerabwehr-Abteilungen in die strategischen Überlegungen mit ein. Diese Konzepte, die auch Hitlers Aufgeschlossenheit für moderne Technik umsetzten, fehlten der amerikanischen Armee einstweilen ganz.[89]

Andererseits ging der deutsche Generalstab in seiner europäisch-kontinentalen Denkschulung zum zweitenmal an der Einsicht vorbei, daß ein großer Krieg vorwiegend von den Materialreserven außerhalb des deutschen Zugriffs entschieden werden sollte und nicht durch die Tapferkeit der Soldaten. Die wirtschaftlichen Rahmenbedingungen eines

Die Kriegsakademie in der Kruppstraße, Berlin-Moabit

Krieges kamen im Lehrplan zu kurz; zumindest wurden sie nicht mit dem nötigen Nachdruck betont. Daß die amerikanischen Hochöfen viermal mehr Stahl herstellten als die deutschen, wie Wedemeyer berichtete, beeindruckte zwar seinen Gesprächspartner Stauffenberg, «thinking about world problems»[90], aber bis tief in den Krieg hinein wird er beweisen, daß solche Einsichten ihn nicht in den Grundauffassungen von Sieg und Niederlage bestimmt haben. Der Wandel seiner Auffassungen wurde schließlich von näherliegenden Zusammenhängen eingeleitet als von der amerikanischen Stahlproduktion.

Stauffenberg, seit Anfang 1937 Rittmeister, dachte früh schon über die Grenzen seiner Waffengattung hinaus. Das bewies er in jenem Jahr bei einem Preisausschreiben der Deutschen Gesellschaft für Wehrpolitik und Wehrwissenschaften über das Thema, wie feindliche Fallschirmtruppen abzuwehren seien. Der Rittmeister errang den ersten Preis; seine Arbeit wurde 1937 und 1938 in zwei Fachzeitschriften abgedruckt. Über den Einsatz dieser Spezialtruppe, die erst seit 1936 im Aufbau war und nur aus Freiwilligen bestand, gab es keinerlei Erfahrungswissen. Die Einsatzmöglichkeiten wurden einstweilen in der Theorie erörtert. Klar arbeitete der Preisbewerber heraus, daß man zwischen Fallschirmagenten und kämpfenden Einheiten werde unterscheiden müssen; die ersten sollen, möglichst unentdeckt, Sabotage üben, die anderen zu Angriffszwekken abgesetzt werden. Zum zweitgenannten Komplex schrieb er:

Der große Aktionsradius und die Geschwindigkeit der Fallschirmkampftruppen geben die Möglichkeit überraschenden Einsatzes gerade zu Kriegsbeginn. Zu einem Zeitpunkt, in welchem der Aufmarsch noch nicht beendet und die Abwehrbereitschaft noch gering ist, wird ihre Verwendung bei verhältnismäßig geringem Risiko besonders wirksam sein. Es ist der Zeitpunkt, in welchem durch rasches Zupacken im Grenzgebiet günstigste Grundlagen für die folgenden Operationen geschaffen werden können. Mußten bisher zu solchen Aufgaben Kavallerie und gemischte, mobil gehaltene Verbände herangezogen werden, so können sie heute den Fallschirmkampftruppen und der Luftinfanterie zufallen. […] Ähnlich wie im Grenzgebiet können Fallschirmkampftruppen natürlich auch bei Landungsoperationen an der Küste verwendet werden.[91]

Wenn der Gedankenansatz bei dieser Studie die Verteidigung ist: daß nämlich die beste Abwehr erst aus der möglichst treffenden Kennzeichnung der Überraschungschancen dieser neuen «Luft-Waffe» abzuleiten sei – dann läßt der Text sich ebensogut und noch besser anders herum lesen, als Angriffskonzeption. Und tatsächlich haben Luftlande-Einheiten durch Überrumpelung die großen operativen Anfangserfolge der Blitzkrieg-Ära zum Teil mit ermöglicht (beispielsweise in Belgien durch Einnahme des als unbezwingbar geltenden Forts Eben Emael).

Natürlich denkt man bei dem letztzitierten Satz – *Landungsoperationen an der Küste* – sofort an die Invasion von 1944. Die Alliierten haben, zuletzt mit entscheidendem Erfolg, nachgemacht, worin die deutsche Kriegsplanung ursprünglich vorausgegangen: im technischen, im Bewegungskrieg. Frankreich hingegen war bis 1940 ganz in der Verteidigungsstrategie von Bunkersystemen steckengeblieben. Der Kommandeur der deutschen Fallschirmtruppe, Kurt Student, der sie wesentlich mit aufgebaut hat, erinnerte sich noch beinahe dreißig Jahre später an die «bemerkenswert kluge, gut durchdachte und weitsichtige [...] Studie des Grafen Stauffenberg». Also muß sie ihm 1937 Eindruck gemacht haben, «als noch ein tiefes Geheimnis über dieser neuen epochalen Waffe lag»[92].

Seltsame Ironie, daß der Rittmeister auf fachfremdem Gebiet mit seinen Gedanken Anerkennung fand, ihm dafür auf seinem eigenen Gebiet Ablehnung widerfuhr. In einer Studie über *Heeres-Kavallerie*, die er nicht als gestellte Aufgabe, sondern aus freien Stücken verfaßte, wird die Kavallerie dem modernen Bewegungskrieg eingefügt, aber in schillernder Wortbedeutung und daher leicht mißzuverstehen. Denn der Ausdruck steht nicht unbedingt für: «berittene Truppe», sondern ganz allgemein für einen hochbeweglichen Kampfverband, der nicht aus Pferden bestehen muß. Der Verfasser schreibt: *Daß im neuzeitlichen Krieg auf große Panzerverbände nicht mehr verzichtet werden kann, ist offenbar: taktischer und operativer Durchbruch ist ohne Masseneinsatz von Panzern kaum mehr zu denken. Die operativen Aufgaben der Heereskavallerie jedoch werden hiervon nicht berührt. Heereskavallerie und Panzerverbände werden sich sehr häufig ergänzen, aber niemals gegenseitig ersetzen können. [...] Ob neuzeitliche Heereskavallerie beritten, zum Teil oder ganz mechanisiert sein wird, sind technische Fragen, die kaum allgemein entschieden werden können.*[93]

Bei genauem Hinschauen handelte es sich also nicht um ein Plädoyer für das «Kriegsinstrument» Pferd. Dennoch blieb die Studie ungedruckt, wohl weil der Begriff Kavallerie im Sinne einer selbständigen Waffengattung vor Beginn des Zweiten Weltkrieges in Deutschland nicht mehr ernsthaft diskutiert wurde – dies aber hier doch zumindest der gedankliche Ausgangspunkt war.

Nicht nur ein einzelner, etliche haben in ähnlichen Worten wiedergegeben, was Eberhard Finckh im Gestapo-Verhör 1944 über Stauffenberg in Moabit äußerte: «Er übertraf mit seinen geistigen Fähigkeiten sämtliche Teilnehmer und riß dadurch sowie durch sein Temperament und seine Redegewandtheit den gesamten Kursus fort.»[94] Aber «der neue Schlieffen», wie er zwischen Scherz und Ernst bezeichnet wurde[95], ließ auch Fehler und Schwächen erkennen. Menschlich rückt er uns dadurch beinahe näher als durch Lob und Bewunderung vor allem der Überlebenden, worin ja immer die Gefahr des Verklärens lag. Im Januar 1938 hat ein Lehrgangsdozent eine vorgegebene taktische Lage- und Verlaufsbeurteilung des Rittmeisters glatt verrissen: «Ich kann die Lage als nicht brauchbar bezeichnen. Der gedachte Verlauf enthält Fehler. [...] Die gesamte Anlage macht den Eindruck der Flüchtigkeit.»[96]

Die Abschlußreise des Akademie-Jahrganges im Juni 1938 führte zum Rhein, wo in einwöchiger Übung ein Verteidigungsauftrag gegenüber gedachtem französischem Angriff zu lösen war. Anschließend, in mehr geselligem Rahmen mit historischen Reminiszenzen in der geschichtsreichen mittelrheinischen Region bei Bacharach und Kaub, hielt Stauffenberg eine Rede, die er hinterher an Rudolf Fahrner schickte. Aus dem Munde des deutschen Patrioten kam erstaunliches Lob für Napoleon: *statt fluch und schmähung* sollte heute *unser dank ihm gelten dass Er für dessen weite s e i n volk zu klein war die leergewordenen formen zerbrach* und *dass durch ihn das deutsche volk zu sich fand und zur befreienden tat.*[97]

Hier wird dem Eroberer nicht allein die Funktion eines Katalysators (nationale Erweckung befördert zu haben) zuerkannt; Respekt gilt auch einem, «dem sein Volk zu klein war» und der zugleich ein großes Bewegungs- und Kraftzentrum verkörperte, ein Phänomen, das Stauffenberg auch bei Hitler in den Bann zog.[98] Die jeweiligen Herrschaftsmethoden im eroberten Raum verbieten zwar einen Vergleich zwischen dem 20. und dem 19. Jahrhundert; im Eroberungsgedanken selbst jedoch, im Ansatz elementaren Machtwillens und seiner Umsetzung in Binnen- und Außenherrschaft, unterscheiden sich beide Imperatoren nicht so grundlegend, daß es unpassend wäre, sie nebeneinander zu stellen. Wer den ersten in der zitierten Weise rühmte, konnte den zweiten nicht von vornherein verurteilen, zumal er sich von Hitlers Behauptung täuschen ließ, es werde ja nur «zurückgeschossen»[99], nur bedrohtes Volkstum geschützt. Claus Stauffenberg wird also dem Imperator und seinen imperialistischen Zielen noch eine Weile sympathisierend folgen. Dafür sind seine Grundüberzeugungen bestimmend: die großdeutsche, reichsbezogene, völkische Denkweise[100], die revisionistische Tendenz und schließlich die Faszination durch alles, was aussah nach Tat, nach Ruhm, nach Größe.

Blitzkriege und Siegeszuversicht

Anfang August 1938 wurde Rittmeister Stauffenberg als 2. Generalstabsoffizier («Ib») zur 1. Leichten Division in Wuppertal abkommandiert. Er hatte also die schwierige, wenngleich nicht übermäßig hohe Hürde der Kriegsschule gemeistert, gehörte zu den 30 bis 40 Prozent der Absolventen, die ihren Weg nun in den Truppenstäben fortsetzen durften. Dennoch ist fraglich, ob ihn die Versetzung in eine Position, in der «nur» für Ausrüstung, Nachschub, Unterkunft zu sorgen war, uneingeschränkt mit Freude erfüllt hat. Begehrter war der operative Stabsposten, der «Ia», weil er nach den ungeschriebenen Spiel- und Standesregeln dieser elitären Kaste als der angesehenere galt. Da mochte der Logistiklehrer auf der Kriegsakademie noch so häufig gepredigt haben, moderne Kriege würden von Quartiermeistern entschieden[101]; strategisch und taktisch geführt wurde der Verband eben auf dem anderen Platz, in engster Abstimmung mit dem Kommandeur.

Napoleon I. Gemälde von Jean Auguste Dominique Ingres, 1806

Übrigens hatte bereits die Organisationsabteilung im Generalstab des Heeres – also der gleiche Funktionsbereich des «I b» auf höherer Ebene – vor Ende des Lehrgangs ein Auge auf Stauffenberg geworfen, doch war dem Begehren nicht stattgegeben worden.[102] Möglich, daß man dem zielstrebigen Aufstiegswillen des Hochbegabten ein paar Hindernisse entgegenstellen wollte, damit der Ehrgeiz sich erst einmal auf niedrigerem Arbeitsfeld bewähren sollte. Das wäre keine seltene und ungewöhnliche Erziehungskur im deutschen Heer gewesen. Fest steht nur, daß die Verwendung Stauffenbergs in der zweiten Stabsetage statt in der ersten (operativen) sachlich gerechtfertigt war, denn der neue Ib in Wuppertal entwickelte hier wie später in vergleichbarer Position im Generalstab des Heeres allseits anerkannte Qualitäten im Planen, Beschaffen, Ergänzen, Verteilen, Versorgen. In der Handliste des Heerespersonalamtes wurde schon nach einem Jahr geurteilt: «großes Organisationstalent»[103].

Die Versetzung fiel zeitlich zusammen mit der Sudetenkrise. Die Außenwelt erfuhr damals nicht, daß Deutschland vor dem ersten militärischen Umsturzversuch stand. Zuvor war der Generalstabschef Ludwig Beck am 27. August 1938 zurückgetreten. Er verwarf zwar nicht prinzipiell den Krieg als Mittel der Politik; das tat die Generalität alter Schule damals insgesamt so gut wie nirgends. Nur gegen d i e s e n, in seinen Augen wahrscheinlichen Krieg wandte er sich zum jetzigen Zeitpunkt strikt und konsequent. Er erwartete Englands und Frankreichs kriegerisches Entgegentreten und wußte Deutschland unzulänglich gerüstet. Außerdem schreckte ihn die Erfahrung von 1914/18, so daß er in einer Denkschrift warnte: «Einen langen Krieg wird Deutschland schon aus Raummangel erfolgreich nicht durchhalten können.»[104]

So rührte Becks Absage mehr aus kalkulierender Vernunft als aus moralischer oder politischer Opposition. Gleichviel, hier wurde er zum Hitler-Gegner. Beck wie auch sein Nachfolger Franz Halder sowie der Wehrkreisbefehlshaber in Berlin, General Erwin von Witzleben, planten im Einvernehmen mit der militärischen Abwehr um Vizeadmiral Wilhelm Canaris den Staatsstreich für den Moment, in welchem Hitler den Befehl zum Einmarsch in die Tschechoslowakei geben würde. In diesem verschwörerischen Zusammenspiel sollte die 1. Leichte Division im Raum von Chemnitz-Plauen notfalls der in Süddeutschland stehenden SS-Leibstandarte Adolf Hitler den Weg nach Berlin verlegen. Kommandeur war Generalleutnant Erich Hoepner, Hitler-Gegner seit 1933, Hitler-Opfer 1944. Der Zirkel der Mitwisser blieb so enggezogen wie irgend möglich. Hoepners «Ia», Hauptmann Volkmar Schöne, wußte über den geheimen Nebenzweck beim «offiziellen» Aufmarsch gegen die Tschechoslowakei ebensowenig Bescheid wie sein Kollege im Divisionsstab, Stauffenberg.

Ein Seufzer der Erleichterung ging durch die Welt, nachdem die Sudetenkrise auf ihrem Höhepunkt durch Mussolinis vermittelndes Dazwischentreten aufgehalten und dann auf der Münchner Konferenz durch das Nachgeben Englands und Frankreichs auf kampflose Weise gelöst worden war: durch Eingliederung des Sudetenlandes in das Deutsche Reich. Angesichts der Dankesbriefe für den britischen Premierminister

Münchner Konferenz, September 1938: Chamberlain, Daladier, Hitler und Mussolini (von links nach rechts)

Neville Chamberlain aus dem gesamten Commonwealth wäre es ungerecht, seine Politik der Beschwichtigung zu verurteilen. Zu sehr wird sie heute aus dem nachherigen Scheitern gesehen, zu wenig aus der pazifistischen Grundströmung der dreißiger Jahre und den Friedenshoffnungen des Herbstes 1938.

Noch ein letztes Mal stand Hitler triumphal da als derjenige, der ohne Krieg erreicht hatte, was er wollte. Kann man mit Erfolg gegen jemanden putschen, dem alles gelingt? Die Fronde fiel auseinander und verharrte in dieser Lähmung lange, ehe sie wieder zusammenfand. Und Hitler, den ein Unglück oder Attentat zu diesem Zeitpunkt als einen der erfolgreichsten deutschen Staatsgestalter historisch festgeschrieben hätte, erhielt ausreichend Gelegenheit, als eine der verachtenswertesten Gestalten in die Weltgeschichte einzugehen…

Ein besonders erschreckender Schritt auf diesem Wege war die «Reichskristallnacht» vom 9. zum 10. November 1938, als im ganzen Reich die Synagogen angezündet wurden. Der 1. Ordonnanzoffizier Werner Reerink erklärte im Rückblick auf die damalige Reaktion seines Vorgesetzten: «Die Ereignisse der Kristallnacht führten bei Stauffen-

Die sogenannte «Reichskristallnacht» vom 9./10. November 1938 war ein Fanal für die brutale Verschärfung der Judenverfolgung in Deutschland. Hier eine brennende Synagoge in Bamberg

berg, der sich immer ganz besonders für Recht, Anstand und Sitte einsetzte, zu einer krassen Verurteilung der Geschehnisse mit dem Hinweis, welcher Schaden hierdurch für unser Vaterland in der ganzen Welt geschehen würde. In der Zeit nach dem November 1938 kritisierte Stauffenberg Personen der NSDAP, die ihm dem Charakter und dem Benehmen nach ein Dorn im Auge waren, stärker als zuvor.»[105] Die Verletzung seines Rechtsempfindens gewann auch noch einen privaten Aspekt. Alexander war seit 1937 verheiratet mit einer «Halbjüdin», nach der Rassenchemie der Nürnberger Gesetze: Melitta geborene Schiller. Persönlich blieb sie von Benachteiligungen verschont wegen ihrer «kriegswichtigen» Tätigkeit als Testfliegerin für Sturzkampfflugzeuge. Sie starb kurz vor Kriegsende nach dem Abschuß durch ein amerikanisches Jagdflugzeug.

Aus Stauffenbergs Empörung resultierte aber einstweilen, so Reerink, kein grundsätzlicher Meinungsumschwung. Er lebte, wie Peter Hoffmann ergänzt, «in der Spannung zwischen Kritik am Vorgehen der Staatsführung und der Hingabe an seinen Soldatenberuf»[106]. In Wuppertal, wo mittlerweile auch die wachsende Familie lebte, Nina mit drei Kindern, verstrich das letzte Friedensjahr bei ruhigem, gleichmäßigem Dienst, unterbrochen nur durch den militärischen Einsatz in der Sudetenkrise. Den Arbeitsstil seines Chefs schildert Reerink so:

«Ich erinnere mich noch oft und gern an das Bild des arbeitenden Grafen: Die Tür weit offenstehend, eine schwarze Brasil genüßlich rauchend, im Zimmer mit Riesenschritten auf und ab gehend, diktierte er maschinenreif die schwierigsten Berichte, oft dazwischen durch einen Rat suchenden Besucher oder durch ein Telephongespräch unterbrochen und anschließend mit seinem Bericht dort fortfahrend, wo er vor der Unterbrechung aufgehört hatte.»[107]

Als im August 1939 nur noch wenig Zweifel bestanden, daß es zum Krieg kommen würde, kaufte der Rittmeister noch schnell ein paar philosophische Werke bei seinem Buchhändler und gestand ihm: *Trotz der Furchtbarkeit des Krieges ist das Ausrücken doch auch eine Erlösung. Der Krieg ist ja schließlich mein Handwerk von Jahrhunderten her.*[108]

Die Division – knapp zehntausend Mann – wurde von Wuppertal nach Mittelschlesien verlegt und stieß von dort aus am 1. September als Teil der Heeresgruppe Süd (von Rundstedt) nach Polen vor, wobei sie es mit einem stellenweise hartnäckig kämpfenden Gegner zu tun hatte. Doch alle Tapferkeit änderte nichts an der hoffnungslosen Unterlegenheit des polnischen Heeres, das sich in seinen Planspielen schon auf dem Weg nach Berlin gewähnt hatte. Der schnelle Vormarsch in diesem Feldzug, der im wesentlichen innerhalb der ersten drei Wochen entschieden war, bereitete dem für die Versorgung seiner Division zuständigen Offizier *unglaubliche Schwierigkeiten*[109]. In anderen Briefen an seine Frau Nina gab er seine Eindrücke über Land und Leute wieder, wobei der Tonfall

1. September 1939: Hitler verkündet im Reichstag den Beginn des Krieges

sich in nichts von dem traditionellen deutschen Überlegenheitsgefühl gegenüber den Slawen unterschied: *Die Bevölkerung ist ein unglaublicher Pöbel, sehr viele Juden und sehr viel Mischvolk. Ein Volk welches sich nur unter der Knute wohlfühlt. Die Tausenden von Gefangenen werden unserer Landwirtschaft recht gut tun. In Deutschland sind sie sicher gut zu brauchen, arbeitsam, willig und genügsam.*[110]

Offenbar völlig verträglich mit diesem Weltbild fand er den gehobenen polnischen Lebensstil auf den Landsitzen. *In den letzten Stabsquartieren habe ich in ziemlich heruntergekommenen Châteaus herrliche Empiremöbel gesehen. Unwahrscheinlich schöne Sachen, bei denen mir die Augen übergehen. Gerade jetzt bin ich in einem Landhaus eines sehr kultivierten Künstlers mit sehr schöner Bibliothek und fabelhaften Empiresachen, Betten, Nachttische, Spiegel, Bücherschränke, klassisch im Stil und so, wie man sie sich denkt.*[111]

Der kultivierte Kenner und Genießer, der auch mit Vorliebe guten Weinen zusprach (*gern oft viel*[112]), konnte übergangslos zu unbarmherziger Härte wechseln, wenn sein Rechtsempfinden verletzt wurde. Im Bereich seiner Einheit wurden zwei Polinnen, Mutter und Tochter, mit Taschenlampen auf einem Speicher entdeckt. Da sie angeblich der polnischen Artillerie Zeichen zugeblinkt hatten, ließ ein Offizier sie ohne Untersuchung erschießen. Stauffenberg brachte den Mann, mit dem er sich sogar duzte, vor ein Kriegsgericht, zumal er nach Befragungen davon ausgehen mußte, daß die beiden Frauen als schwachsinnig gegolten hatten und sich ihrer gefährlichen Spielereien gar nicht bewußt gewesen waren.[113] Bei strafwürdigen Taten endete abrupt seine vielgerühmte Kameradschaftlichkeit. Zusätzlich beweist diese Reaktion, daß sein abschätziger Blick auf die slawische Bevölkerung nichts mit der Willkür und dem Herrenmenschenwesen gemein hatte, die sich jetzt bei der Besatzungsmacht auszutoben begannen. Nicht lange, und sie trugen mit zu seiner inneren Wende bei.

Das besiegte Land zerfiel zu dieser Zeit in zwei getrennte Herrschaftsgebiete aufgrund des Hitler-Stalin-Paktes vom 23. August 1939. Der Pakt hatte dem deutschen Vertragspartner den vermeintlich gefahrlosen kriegerischen Weg nach Polen geöffnet und dem sowjetischen einen Teil der Beute zugesprochen. Das unglückliche polnische Volk sah sich von zwei Großmächten zugleich geplündert, geknechtet, versklavt. Der deutsche Beobachter im Divisionsstab urteilte instinktsicher in einem Brief, die Sowjets würden mit der polnischen Oberschicht, die zuvor in den jetzt von ihnen besetzten Teil geflohen war, *kurzen Prozeß machen. […] Da werden wohl viele nach Sibirien wandern müssen.*[114] Der Weg war nicht ganz so weit. Die ersten viertausend polnischen Offiziere wurden 1943 in Massengräbern bei Katyn gefunden, weitere neuntausend 1990 bei Kalinin und Charkow.

Stauffenbergs Bestreben, Aufgaben nicht nur zu bewältigen, sondern

5. Oktober 1939: Parade der deutschen Truppen im eroberten Warschau

Stauffenberg in Polen, 1939

Fachbereiche zu durchdringen, um darin möglichst effektiv zu wirken, ließ ihn nach dem Polen-Feldzug einen Erfahrungsbericht abfassen, in dem er die erkannten Organisationsmängel aufführte.[115] Kerngedanke: Das ganze Nachschubwesen spiegele noch den Geist des früheren Stellungskrieges mit seinen kurzen Entfernungen. Im jetzigen hochbeweglichen motorisierten Krieg habe seine Division nie hinreichend Munition, Treibstoff und Verpflegung verfügbar gehabt; die technischen Truppendienste seien für die Erfordernisse unzulänglich ausgestattet; wo Pioniere nötig waren, seien Bierbrauer und Gärtner mitgeschleppt worden; wo Verwundete vorn zweckmäßig versorgt wurden, habe es hinter der vorrückenden Truppe an elementarer Hygiene für sie gefehlt; der Ersatzteile-Nachschub habe den Verschleiß nicht ausgleichen können; die Kettenfahrzeuge seien für die Materialbelastungen viel zuwenig robust.

Ob der Bericht höheren Orts zur Kenntnis genommen wurde, ist nicht bekannt. Aber der Divisionskommandeur – seit dem 1. Oktober 1939 Generalmajor Werner Kempf – betonte Anfang 1940, alle hofften, daß der Ib Stauffenberg «uns nie verlassen möchte»[116]. Die Hoffnung trog. Doch zunächst zog der Hochgewürdigte mit seiner Einheit, die inzwischen zur 6. Panzerdivision erweitert worden war, in den Frankreich-Feldzug. Die Division stieß im Verband der Heeresgruppe A (von Rundstedt) durch die Ardennen vor. Dieser für die Franzosen unerwartete Angriff durch das verkehrshemmende Waldgebirge war Grundlage und Ausgangspunkt des Feldzugplanes, den General von Manstein entworfen hatte. Der Entwurf, den Churchill bald darauf als «Sichelschnitt»-Strategie bezeichnete, war Hitler nur durch Zufall vor Augen gekommen. Tresckow hatte dabei durch eine vorteilhafte Beziehung Vermittlerdienste geleistet.

Frankreich stürzte, unter Stuka-Geheul und geisterhaft schnell vorrükkenden Panzerverbänden, in einen Abgrund von Desillusion. Hierzulande wurde der ungeliebte Krieg sogar populär, wobei zweierlei zusammentraf: die Heilung einer traumatischen Wunde und die letztmalige Gefühlsvereinigung zwischen Volk und Führer. Was vier Jahre lang unter titanischen Anstrengungen und gewaltigen Verlusten mißlungen war, das hatte der Gefreite der Westfront in sechs Wochen geschafft. Das war eine Weltsensation und fast nicht zu glauben. Mochte auch, wer tiefer blickte, wahrnehmen, daß das Frankreich von 1940 an physischer Stärke und moralischer Kraft nur ein fahler Schatten vom vorigen Kriege war, so bewirkte doch der Triumph dieses Frühsommers vom reinen Ergebnis her, daß die bittere Vergangenheit mit Namen Versailles gelöscht erschien wie eine Straftat, die abgebüßt war.[117]

Davon war auch der zweiunddreißigjährige «Quartiermeister» tief beeindruckt, wie ein schon früher zitierter Brief belegt.[118] Zugleich zeigte er sich nicht unempfänglich für die trostlose Lage des Gegners. *Seither erleben wir in erschütternder Form den Anfang des Zusammenbruchs einer großen Nation, nicht nur militärisch, sondern auch psychisch.* Gleich darauf aber: *Uns geht es köstlich. Wie sollte es auch anders sein bei solchen Erfolgen.*[119] Frankreichs Fiasko zeichnete sich für ihn, dem Briefdatum entsprechend, schon am neunten Tag des stürmischen Vormarsches ab. Weitere neun Tage, und die Division stand in Flandern und kämpfte gegen die britischen Verbände, die mit größter Verbissenheit den Rückzug ihres Expeditionskorps bei Dünkirchen zu decken suchten. Nach dem

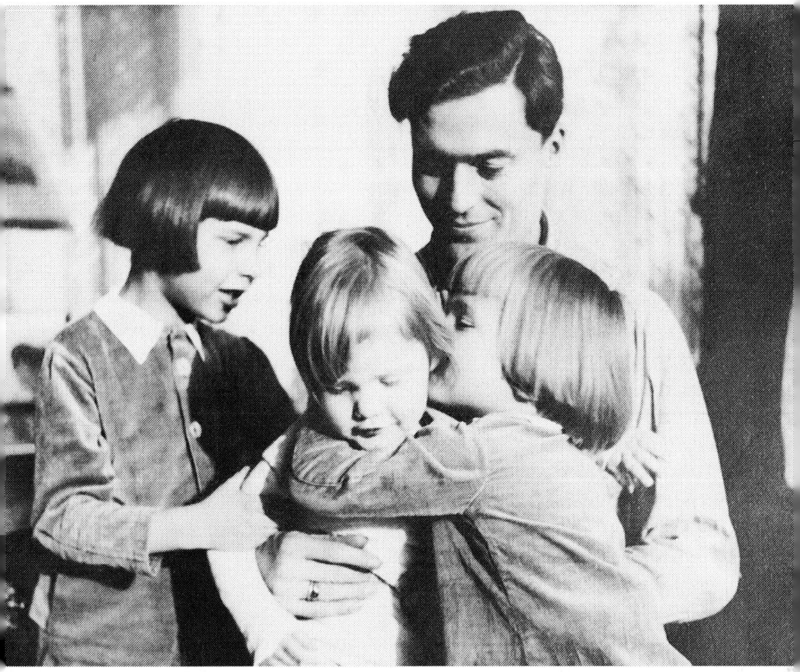

Stauffenberg auf Heimaturlaub in Wuppertal, 1940; mit seinen Söhnen Berthold, Franz Ludwig und Heimeran (von links nach rechts)

Ende der Kämpfe dort, meinte er, werde wohl erst einmal wieder die Politik sprechen. *Für die Engländer gilt es dann eine große innere Entscheidung. Geben sie nicht nach, wird es noch harte Kämpfe geben, denn dann müssen wir zum Vernichtungskampf gegen England antreten.*[120]

Hier sprach der loyale Soldat, als den wir Claus Stauffenberg trotz manch deutlicher Regimekritik (bis hin zu dem Satz von 1939, *Der Narr macht Krieg*[121]) bis jetzt und weiterhin noch einzuschätzen haben. Die tieferen Entstehensgründe des Krieges – Hitlers unbeirrbar vorangetriebene «Lebensraum»-Politik bei zugleich geschickter Verschleierung seiner Absichten – durchschaute er nicht. Für ihn war es ein vaterländischer Existenzkampf, in dem er sich aufgerufen fühlte, nach Kräften zum guten Ausgang beizutragen. Dabei bestimmte ihn Siegeszuversicht. Nicht leicht, so ist ja auch zuzugeben, konnte ein junger Offizier die überwältigenden Blitzkrieg-Erfolge in der richtigen globalen Größenordnung einschätzen. Noch war er von den Triumphen berauscht; die Ernüchterung folgte erst später.

Derselbe Brief, in welchem über einen *Vernichtungskampf gegen England* spekuliert wird, übermittelt *eine für mich sehr traurige Nachricht* nach Hause: die Versetzung in den Generalstab des Heeres, als Leiter der Gruppe II der Organisationsabteilung. Was zu jedem anderen Zeitpunkt als hocherwünschtes Vorankommen gewertet worden wäre, bedeutete jetzt, *mitten aus dem Krieg und den ruhmvollen Operationen meiner Division herausgerissen zu werden*; denn: *Meine eigene Tätigkeit war von großem Glück begleitet, und die Division war trotz den unvorstellbaren Geschwindigkeiten immer aufs beste versorgt.*[122]

Der Hauptmann i. G.[123] blieb im Westen, weil das Oberkommando des Heeres (OKH) zur Zeit auf Wanderschaft war. Vom Stammsitz Zossen im Süden Berlins hatte es den Standort nach Bad Godesberg verlegt, siedelte, nachdem der neue Mitarbeiter soeben dorthin abkommandiert worden war, nach Chimay in Belgien über und im Juli nach Fontainebleau. Aus Chimay schrieb der neue Leiter der Gruppe II nach reichlich zwei Wochen Einarbeitung an seine Frau:

Die frägst nach meiner Tätigkeit. Ich habe das Referat Friedensheer. Dieses mitten im Krieg, aus den beweglichsten und durchschlagendsten Operationen, die je denkbar waren, herausgerissen, zu übernehmen, hat etwas zumindest höchst Eigentümliches. Die Aufgabe kann naturgemäß jetzt sehr interessant werden, denn nach jedem Krieg fängt man gewissermaßen ganz neu wieder an. So wird man die ganze bisherige Organisation, Aufbau, Zusammensetzung, innere Gliederung usw. überprüfen müssen und gleichzeitig ganz neue Gedanken erwägen müssen. Auf diese Weise wird dies Arbeitsgebiet demnächst zentrale Bedeutung erlangen. Er glaubt, manches durchsetzen zu können, wofür er von der Truppe aus vergeblich gekämpft habe, sieht aber auch schon voraus, daß aus dem Gegensatz gleichberechtigter Meinungen und Zuständigkeiten (bald wird er einen Kompetenz-Wirrwarr beklagen) und durch überraschende Führerentscheide am Ende *oft der windige Kompromiß zur Herrschaft kommt*[124].

Uneingeschränkt erfreute ihn nur das landsmannschaftliche Kolorit. *Abt*(eilungs)-*Chef ist Oberst Buhle, ein energischer, nicht übertrieben feiner Schwab. Sein Vertreter ist Helmut Reinhardt* aus Württemberg, *der gleichzeitig mit mir hinversetzt wurde. Das Kriegsheer bearbeitet ein Hauptmann Schmidt, auch schwäbischer Infanterist, so daß das Unternehmen reinrassig ist.*[125] «Wenn er (Claus) die schwäbischen Grenzen überschritt», so ergänzte Nina Stauffenberg später gegenüber dem Biographen Joachim Kramarz die hier hervortretende lokalpatriotische Zufriedenheit, «verfiel er sofort wieder in seine heimatliche Mundart.»[126]

Stauffenbergs Referat «Friedensheer» hatte bald nach dem Sieg im Westen ganz anderes zu tun, nämlich den Rußland-Feldzug organisato-

Paris, Juni 1940: die Hakenkreuzfahne auf dem Arc de Triomphe

risch mit vorzubereiten. Als nach Frankreichs Zusammenbruch England immer noch unbesiegt dastand, hatte Hitler Ende Juli 1940 erstmals davon gesprochen, Rußland ungeachtet des Nichtangriffspaktes niederzuwerfen. Hielten die verstockten Briten nur aus, weil sie die Sowjetunion als beständige östliche Bedrohung ihres Hauptfeindes ansahen? Dann mußte ihnen der «Festlandsdegen» aus der Hand geschlagen werden, folgerte der falsche Napoleon in der Denkweise des echten von 1812. «Ist aber Rußland zerschlagen, dann ist Englands letzte Hoffnung getilgt.»[127] Gegen Rußland zu marschieren, um den «marxistisch-jüdischen» Bolschewismus zu zerschlagen und um Kolonisationsraum zu gewinnen, sah der Diktator als «die heilige Mission meines Lebens» an[128]; nur galt dies natürlich nach dem ursprünglichen Zeitplan erst, wenn England besiegt sein würde. Statt dessen erneuerte er nun aus Rastlosigkeit wie aus ideologischer Verblendung den Zweifrontenkrieg von 1914.

Die darin liegende Aufkündigung des strategischen Kalküls vom August 1939 erschien Stalins realistischem Denken so unglaubhaft, daß er alle Warnungen vor dem deutschen Angriff in den Wind schlug. Der Riesenaufmarsch – drei Millionen Mann – blieb der sowjetischen Seite nicht verborgen, nur hielt der Kremlherr ihn bis zuletzt für eine Drohgebärde seines Vertragspartners und Todfeindes, um Zugeständnisse zu erzwingen. Daher Stalins Fassungslosigkeit am Morgen des 22. Juni 1941.

Die deutsche Generalität ging unbeschwert in den Kampf; zu kläglich war der Eindruck gewesen, den die Rote Armee im Finnischen Winterkrieg von 1939/40 hinterlassen hatte. So denkwürdig wie die Fehleinschätzungen im Generalstab des Heeres ist die Warnung eines sozusagen fachfremden Beobachters. Admiral Canaris, Chef der Abwehr, urteilte klarsichtig, daß die Rote Armee spätestens im vierten Kriegsjahr imstande sein werde, jede feindliche Armee zu zerschlagen; weshalb «jeder Angriffskrieg gegen die Sowjetunion […] zu einer tödlichen Bedrohung für die Angreifernation führen» werde.[129] Die genaue Voraussage präzisierte die fern zurückliegende Warnung des Botschafters Schulenburg in Moabit.[130]

Anfänglich sah es so aus, als ob die eine wie die andere Kassandra von den Tatsachen widerlegt würde. Die deutschen Truppen stürmten in den Sommerwochen 1941 mit derart zerstörerischer Wucht vorwärts und richteten in Kesselschlachten militärische Verheerungen von solchen Ausmaßen an, daß die Sowjetarmee dem Zusammenbruch nahe schien. Von den Anfangserfolgen ließ der Generalstabschef Halder sich so täuschen, daß er dem Tagebuch den größten Irrtum seiner Laufbahn anvertraute: «Es ist also wohl nicht zu viel gesagt, wenn ich behaupte, daß der Feldzug gegen Rußland innerhalb vierzehn Tagen gewonnen wurde.»[131] Knappe sechs Wochen später räumte er ein, «daß der Koloß Rußland […] von uns unterschätzt worden ist»[132]. Das änderte nichts daran, daß Halders oberster Kriegsherr noch Anfang Oktober, verbreiteter Zustimmung gewiß, verkündete, «daß dieser Gegner bereits gebrochen [ist] und sich nie mehr erheben wird»[133].

Der Generalstabsoffizier Stauffenberg teilte die allgemeine Bewußtseinslage und vollzog ihre Schwankungen mit. Zugleich ist genau dies der Sichtbereich, von dem aus sein Loyalitätsverlust einsetzte: auf dem Felde

Deutsche Soldaten in der Sowjetunion, Kriegswinter 1941/42

der beiderseitigen Stärkeverhältnisse, die sich zunehmend zuungunsten des deutschen Heeres umzuschichten begannen. Der im April 1941 zum Major Beförderte zählte Verluste, listete Fehlbestände auf, errechnete Ersatzforderungen. Hier hatte er genauen Einblick, und hier zuerst wurde er schwankend, wie bei solch wachsendem Ungleichgewicht der Krieg gegen die Sowjetunion noch zu gewinnen sei. Und als die Zweifel ihn überwältigten, lernte er auch anderes genauer sehen…

Die Winterkatastrophe vor Moskau reichte aber für eine innere Wende noch nicht aus, obwohl die Soldaten unbeschreiblich litten. Bei Temperaturen bis zu minus vierzig Grad kämpften sie zum Teil ohne Winterkleidung gegen frische sibirische Verbände. Einst stolze Divisionen schrumpften zu Häuflein von verzweifelt sich Wehrenden, frierend, übermüdet, schlecht ernährt, unter ständigen Ausfällen von Material, das der Kälte nicht standhielt. Die zuvor zusammenhängende Frontlinie der Heeresgruppe Mitte glich einem zerfetzten Flickenteppich mit großen und kleinen Igelstellungen, Verteidigungsinseln. Unter Zehntausenden erlebte auch der Leutnant Helmut Schmidt «panische Angst, als wir bei Klin abgeschnitten und eingekesselt waren»[134]. Unerreichbar lag Moskaus Stadtsilhouette in der Wintersonne vor den vordersten Deutschen, wie der Eiffelturm 1914 vor den Augen ihrer Väter.

Ein Brief des Majors aus dem ostpreußischen Heeres-Generalstab an seine Schwiegermutter Anna von Lerchenfeld, geschrieben am 11. Januar

1942, klingt doch noch sehr angepaßt und ist von Zweifeln nicht eingefärbt. Diese Einschätzung gilt auch dann, wenn man berücksichtigt, daß der Absender besonders kritische Ansichten nicht gerade mit der Feldpost hätte befördern lassen.

Lage an der Front: Sie ist zur Zeit zweifellos sehr schwierig. Es ist eine Lage, die durch die Anspannung der letzten Kräfte und Mittel überwunden werden muß. Ein Vorwurf kann aber einem einzelnen nicht gemacht werden. Der tiefere Grund liegt in der falschen Einschätzung der Sowjetunion und ihrer materiellen Kapazität. Sie ist von uns allen unterschätzt worden. Daß die Sowjetunion nach den Schlachten von Kiew, Brjansk, Wjasma militärisch vor dem Zusammenbruch stand, ist mir auch heute nicht zweifelhaft. Als wir den Erfolg ausnutzen wollten, setzte wieder das schlechte Wetter ein. Und sobald der Schlamm überwunden war, kamen die Sowjets gerade mit ihren neu aufgestellten Verbänden heran. Ein voller Sieg lag so nahe, daß man eben alles auf eine Karte setzen mußte. Um so größer aber natürlich auch das Risiko. Daß es zur Zeit recht schwierig ist, gebe ich offen zu. Das liegt aber im wesentlichen an den Verkehrs- und Nachschubschwierigkeiten, worin es der Russe ungleich besser hat. Aber letzten Endes hat es noch keinen Krieg ohne Rückschläge und schwierige Situationen gegeben. Sie müssen in Gottes Namen überwunden werden.[135]

Die Zahlen sprachen bald eine viel härtere Sprache als der glättende Brief. Zum Ende des Winters 1941/42 verzeichnete die Wehrmacht im Osten Verluste von 1,1 Millionen Mann (gefallen, verwundet, vermißt, gefangen, durch Erfrierungen kampfunfähig). Damit war der Mannschafts- und Offiziersbestand seit dem Juni 1941 um 36 Prozent gemindert. Von 162 Infanteriedivisionen waren nur acht voll einsatzbereit, der Kampfwagen-Bestand der 16 Panzerdivisionen betrug nur noch knapp ein Sechzehntel: 140 Stück.[136] Die Verluste konnten nur unzulänglich ausgeglichen werden. Die Personaldecke wurde dünn.

Stauffenberg setzte sich daher, mit vielen anderen, dafür ein, daß slawische Freiwillige auf deutscher Seite kämpften. Ihm muß sich aufgedrängt haben, daß der Gegner allein mit deutschen Kräften nicht mehr zu bezwingen war. Anders ist sein Einsatz für die Hilfswilligen («Hiwis»), wofür das Jahr 1942 viele Belege bietet, nicht zu erklären.

Hitler genehmigte nur kleine Formationen, vor allem von Kosaken, von denen er fälschlich vermutete, sie stammten von den Goten ab und seien «Arier». Das Hiwi-Konzept im großen scheiterte an der nationalsozialistischen Weltanschauung, die in den Slawen Minderrassige sah, nur als Arbeitssklaven tauglich. Die hieran orientierte Besatzungspolitik hatte inzwischen auch die gutwilligsten Sowjetgegner in Rußland zu Feinden Deutschlands gemacht und dem Partisanenkrieg den Boden bereitet.

Innere Wende

Die letzten militärischen Erfolge 1942, in Nordafrika wie im Süden der Ostfront, täuschten das deutsche Volk über die bedrohliche Lage hinweg. Das so genannte «Menschenmaterial» für die nationalsozialistische Weltreichutopie wurde knapp. Auf den Schreibtischen der Organisationsabteilung im Heeres-Generalstab konnte sich allerdings niemand mehr ähnlichen Trugschlüssen überlassen wie die Heimat oder wie noch viele Soldaten, die die zurückgelegten Marschentfernungen, die buchstäblichen Fortschritte, mit echten Schritten zum Sieg verwechselten.

In der skeptischen, zweifelnden Stimmungslage des Frühjahres und Sommers 1942 erreichten den Major Stauffenberg immer öfter auch Zeugenberichte über Greueltaten. So informierte ihn beispielsweise der Rittmeister Herwarth von Bittenfeld, der spätere Diplomat, im Mai jenes Jahres ausführlich über Massentötungen von Juden.[137] Die einen wie die anderen Tatsachen, die Verluste wie die Morde, fügten sich zu einem Panorama von Hybris und Rassenwahn zusammen. Die Einsicht in diese Verbrechenspolitik hatte nicht Tag und Stunde. Nach dem Eindruck, den uns die Zeugen vermitteln, ist bei Stauffenberg nicht von einem Schlüsselerlebnis auszugehen, daher auch nicht von einem Augenblick der plötzlichen Erkenntnis. Doch «vom Ende des Sommers 1942 an häufen sich Äußerungen Stauffenbergs über die Notwendigkeit, Hitler zu stürzen»[138]. Hierfür gibt es nur Zitate aus zweiter Hand. Alles ist allein von überlebenden Gesprächspartnern verbürgt, wobei dieser und jener im Wortlaut wie im Datum irren mochte. In der Summe beweisen die Wiedergaben unzweifelhaft die innere Wende.

Hier ist noch einmal festzuhalten: Grundlage für den Sinneswandel Stauffenbergs war zunächst der fachliche Einblick in die Aussichtslosigkeit des Kampfes, nicht wie bei anderen das Entsetzen über das, was im Namen Deutschlands geschah. Die Qualität seines Widerstandes wird dadurch nicht gemindert. Wenn andere ihm vielleicht einen moralischen Vorsprung voraushatten, so glich er ihn nun durch Entschlossenheit aus. Manche hatten schon früher klar gesehen und zögerten doch zu handeln; er kam verspätet, handelte dann aber entschieden, unbedingt und ohne Rücksicht auf sich selbst.

Der vom Gefolgsmann zum Hitler-Gegner sich wandelnde Generalstabsoffizier blieb allerdings noch lange im Zwiespalt: daß Deutschland zwar falsch und unheilvoll geführt werde, aber in unausweichlichem vaterländischem Kampf stehe. Er verkannte, daß der «vaterländische Kampf» ein von Hitler planmäßig eingeleiteter Eroberungskrieg war. Mit vielen Gleichgesinnten einig, glaubte er an die Möglichkeit eines Ausgleichsfriedens, sofern die gegenwärtige Führung beseitigt sein würde. Viele Sondierungsbesuche deutscher Oppositioneller im neutralen Ausland galten dem Bemühen, über Mittelsmänner Gesprächsbereitschaft im Westen zu erkunden. Sie brachten aber immer nur unverbindliche Äußerungen von dort zurück. In Wirklichkeit waren die Westalliierten längst entschlossen, keinerlei Zugeständnisse zu machen. Das galt erst recht seit der Casablanca-Konferenz vom Januar 1943 mit der Formel von der «bedingungslosen Kapitulation». Sie alle wußten nichts von den deutsch-sowjetischen Geheimgesprächen in Stockholm während längerer Strecken des Krieges.[139] Die endeten aber schließlich ergebnislos.

Bei aller Entschiedenheit, auf Hitlers Beseitigung hinzuarbeiten, sah Stauffenberg für sich persönlich zur Zeit keine Möglichkeit einzugreifen. Für handlungsfähig hielt er allein die Generalität in den Schlüsselstellungen. Daß dort kein Entschluß reifte, sollte zu seinen großen Enttäuschungen gehören. Im übrigen war er weit davon entfernt, den Diktator leichthin verächtlich zu machen wie viele Offiziere. Er betrachtete Hitler als gleichwertigen Gegner.[140]

Kritik an der Führung, wenn auch in strengem Formenkodex, enthält ein Brief an Generaloberst Paulus, dessen Abkehr von seinen bisherigen Anschauungen erst in der Gefangenschaft vor sich gehen sollte. Jetzt, im Juni 1942, stand die von ihm geführte 6. Armee östlich von Charkow und formierte sich zum Vorstoß am oberen Don entlang auf Stalingrad zu. Stauffenberg hatte Paulus in seinem Hauptquartier besucht und schrieb ihm nun:

Freilich kam auch wieder in besonderem Maße zum Bewußtsein, was man fern der Truppe versäumt. [...] Demgegenüber bleibt alle Befriedigung, die in gewissem Sinn natürlich auch hier zu finden ist, ein klägliches Surrogat. Und dies umso mehr, als ein Eingeweihter – und als solchen rechne ich mich nach 2jähriger Tätigkeit hier – ja bei jeder Sache sofort die [...] Grenzen jeder Aktion schon vor ihrem Beginn erkennen muß. [...] Herr General werden am besten verstehen, wie erquickend ein Besuch aus solcher Luft dann dort ist, wo bedenkenlos der höchste Einsatz gewagt wird, wo ohne Murren das Leben hingegeben wird, während sich die Führer und Vorbilder um das Prestige zanken oder den Mut, eine das Leben von Tausenden betreffende Ansicht, ja Überzeugung zu vertreten, nicht aufzubringen vermögen.[141]

Der letzte Satz ist beredt. So manchen General erlebte er, der vor einer Lagebesprechung oder einem Vortrag im Führerhauptquartier entschlossen verkündete, jetzt werde er dem Führer die Meinung sagen, «reinen Wein einschenken» – um dann wie unter einem Bann zu verstummen oder gar, noch schlimmer, zu euphorischer Zuversicht «umgedreht» zu werden. Die den Diktator umgebende Generalität im Oberkommando der Wehrmacht (OKW) war unter seinem Dauereinfluß längst zu willenlosen Vollstreckern geworden. «Lakei-tel» nannte man im Heer verächtlich Feldmarschall Keitel, den Chef des OKW. Bemerkenswert auch die Wendung im Brief, *die Grenzen jeder Aktion* seien immer schon *vor ihrem*

Stauffenberg und Albrecht Mertz von Quirnheim in Winniza (Ukraine), 1942

Beginn zu erkennen. Der Satz bestätigt jenen vom Juni 1940 über den *windigen Kompromiß* [142]. Dazwischen lagen genau zwei Jahre eines Arbeitsklimas zunehmender Ernüchterung.

Während das Führerhauptquartier von Mitte Juli bis Ende Oktober 1942 nach Winniza in der Ukraine verlegt war und mit ihm die Organisationsabteilung des OKH, pflegte der neue Abteilungschef Oberstleutnant Mueller-Hillebrand regelmäßig mit seinem Referatsleiter Stauffenberg auszureiten. An einem solchen Tage habe der Major ausgerufen, es sei an der Zeit, daß ein Offizier sich eine Pistole einstecke *und diesen Schmutzfink über den Haufen schießt*[143]. Der Hintergrund seiner Gemütsaufwallung war die Führungskrise aufgrund der von Hitler befohlenen kräftespaltenden Doppel-Stoßrichtung zur Wolga und zum Kaukasus – und dies angesichts eines Truppenfehlbestandes von 270000 Mann. Dazu kam die wachsende Materialüberlegenheit auf sowjetischer Seite, mitbewirkt durch die amerikanischen Geleitzug-Transporte nach Murmansk; seit Dezember 1941 standen Deutschland und die Vereinigten Staaten zum zweitenmal miteinander im Krieg.

Ende September, zwei Tage nach der Entlassung Halders, den Stauffenberg verehrte (*ein unglaublicher Könner und ein prachtvoller Mann*[144]), wurde in Mueller-Hillebrands Diensträumen darüber diskutiert, daß zehn neu aufzustellende Luftwaffen-Felddivisionen nach Intervention Görings bei Hitler der Ostfront vorenthalten werden sollten. Diese Wendung veranlaßte Stauffenberg nach Wiedergabe des Leutnants (und Historikers) Walter Bußmann zu dem erregten Ausruf: *Es kommt nicht* [mehr] *darauf an, ihm* – Hitler – *die Wahrheit zu sagen, sondern ihn umzubringen, und ich bin dazu bereit.*[145] Die Szene mit der offen bekundeten Bereitschaft zum Tyrannenmord wird auch von anderer Seite bestätigt, so daß sie kaum fraglich erscheinen kann. Indes war die Absicht zu dem Zeitpunkt rein theoretischer Natur, denn Stauffenberg hatte keinen Zugang zum Hauptquartier.

Im Oktober wurden in Winniza vor vierzig Generalstabsoffizieren Vorträge von Fachleuten gehalten über deutsche Agrarpolitik im Osten und über europäische Ernährungswirtschaft. Hinterher meldete sich Major Stauffenberg zu Wort und erklärte, daß er mit Schrecken den verhängnisvollen Kurs der deutschen Ostpolitik beobachte. Sie sei dazu angetan, die Menschen im Lande den Deutschen zu Feinden zu machen. Sie säe einen Haß, der sich rächen werde.[146] Der Zeuge dieser Kritik, Otto Schiller, wertete den unerschrockenen Freimut in einer Zeit, in der «niemand ein offenes Wort im größeren Kreise wagte», als besondere Gedächtnishilfe; gerade ihrer Kühnheit wegen habe er sich die Ausführungen so gut gemerkt. Überdies trug zum Staunen des Besuchers bei, daß der Leiter der Veranstaltung die Kritik nicht zurückwies, sondern im Gegenteil hervorhob, so dächten sie alle.[147]

Auch wenn Stauffenberg angenommen haben dürfte, unter Sympathisanten zu sein, war solch Verhalten mutig; wer konnte schon innerhalb einer Runde von vierzig Offizieren des Heeres für die Verschwiegenheit aller bürgen, die Gäste gar nicht gerechnet? Der Vorgang zeigt, daß das Offizierskorps 1942 (das galt auch länger) vom Geist des SS-Imperiums noch kaum unterwandert war. Loyalität – oft zähneknirschend – gegenüber dem obersten Kriegsherrn bedeutete keineswegs Unterwerfung unter die nationalsozialistische Ideologie.

Der Gedanke läßt sich weiterspinnen. Wer zu offener Regimekritik schwieg, machte sich strafbar, erst recht, wenn sie unverhüllt hervortrat wie in den vorherigen Zitaten: auf Hochverrat zielend. In der Folgezeit wuchs der Kreis der Mitwisser der Umsturz- und Attentatsplanung auf verschiedenen Ebenen und in unterschiedlichen Widerstandszentren. Wenn immer wieder beklagt worden ist, daß in der Generalität kein Entschluß zur Tat reifte, so ist auf der anderen Seite hervorzuheben, daß bis zuletzt kein Verräter das Netzwerk der Verschwörung zerschnitten hat. Alle Wissenden schwiegen, selbst diejenigen, die sich jedem Mitmachen entzogen: aus Glaubensgründen, Eidestreue, Gehorsamszwang – und vielleicht gerade deshalb den Angriff auf das Staatsoberhaupt von seiten eines anderen mißbilligten. Das Bündnis der Verschwiegenheit ist ein würdiger, selten hervorgehobener Aspekt des 20. Juli.

Stauffenbergs Offenheit ist nicht mit Tollkühnheit zu verwechseln. Man hörte ihn damals sagen, er habe sich schon zu weit vorgewagt; *es wird Zeit, daß ich hier verschwinde*[148]. Nun konnte man solcher Besorgnis nicht einfach ein Bewerbungsschreiben ans Heerespersonalamt folgen lassen. Man bewarb sich nicht, sondern wurde von irgendwoher angefordert und dann versetzt – oder auch nicht. Fördernde Beziehungen hatten natürlich, wie überall, teil an den häufigen Positionswechseln in der militärischen Hierarchie.

Zu dieser Zeit traf es sich, daß der neue Generalstabschef Zeitzler dem Major Stauffenberg ein Frontkommando zu übertragen beabsichtigte. Der Major war dem General «durch seine rasche Auffassungsgabe und Klarheit beim Vortrag» aufgefallen. «Um ihn zu einem späteren guten Korps- und Armee-Chef vorzubereiten, wollte ich ihn zunächst als Front-Generalstabsoffizier und Truppenführer einsetzen.»[149]

Einstweilen aber fand sich kein geeigneter Posten, oder der bewährte Organisator wurde noch am bisherigen Platz gebraucht. Während der zweiten großen Winterkrise im Osten, diesmal im Süden statt in der Mitte der Front, blieb das Tätigkeitsfeld unverändert. Nachdem das Gesetz des Handelns im November 1942 schon an zwei Fronten von der deutschen auf die alliierte Seite übergegangen war – mit dem Durchbruch der Engländer bei El Alamein und mit der Landung der Amerikaner und Engländer in Marokko und Algerien –, wurde der Eindruck von einer Kriegswende im selben Monat durch eine dritte Großoffensive vervollständigt. Die Sowjets nutzten den sträflichen Leichtsinn der Wehrmacht, die vierhundert Kilometer lange Nordwestflanke der keilartigen Wolga-Front längs des oberen Don nur mit Hilfstruppen viel zu schwach besetzt zu halten. Außerdem klafften südlich von Stalingrad große Lücken, bevor sich tief im Süden die Kaukasus-Front anschloß. Jeder Generalstab der

Welt hätte in dieser Lage einen Zangenangriff beschlossen. Lediglich der Chef der Abwehrabteilung Fremde Heere Ost, Reinhard Gehlen, merkte von den Vorbereitungen dazu nichts, so daß das Oberkommando der Wehrmacht nicht hinreichend gewarnt wurde.

Der gewaltige russische Angriff machte die zu neunzig Prozent von den Deutschen eroberte Wolga-Metropole Stalingrad zur Todesfalle für 270000 Mann. Einem Ausbruch dieser intakten Armee mit der Energie des Überlebenswillens hätte niemand standgehalten. Hitler indes befahl, daß die 6. Armee sich festkralle und keinen Fußbreit Boden aufgebe. Da Göring realitätsblind ausreichende Versorgung aus der Luft versprach und Paulus sich allem fügte, begann das Leiden der 6. Armee und damit eine der großen Tragödien der Kriegsgeschichte.

An diesem Punkt wurde für den erschütterten Beobachter im Heeres-Generalstab zusätzlich wichtig, was er aus der Kriegstheorie wußte. Erklärend dazu äußerte sich später der General der Panzertruppe, Hermann Balck, gegenüber dem Biographen Wolfgang Venohr: «Stauffenbergs militärpolitische Gedankengänge als hochgebildeter Generalstabsoffizier kann man nur verstehen, wenn man seine von Clausewitz entlehnte Theorie des Kulminationspunktes im Kriege kennt. Clausewitz hatte gelehrt, daß jede strategische Offensive, wenn sie nicht unmittelbar zum Frieden führte, unvermeidlich einen Punkt erreicht, an dem Stärke in Schwäche umschlägt, und daß ein solcher Umschlag gravierendere Folgen für den Kriegsverlauf haben muß als die vorangegangene Offensive. Das nannte Clausewitz das Erreichen des Kulminationspunktes, und von dieser Gesetzmäßigkeit war Stauffenberg zutiefst überzeugt. Die Überschreitung des Kulminationspunktes an der Ostfront, aber wahrscheinlich mehr noch in Nordafrika, muß bei ihm den radikalen Umschwung in der Einstellung bewirkt haben.»[150]

Gemessen an den Belegen, die schon zuvor für einen Wandel der Überzeugungen sprechen, hat nicht erst die Kriegswende einen «radikalen Umschwung» bewirkt; alles verlief ja bei ihm mehr in Übergängen. Insoweit ist Balcks aufschlußreicher Hinweis zu relativieren. Der Clausewitz-Effekt dürfte die Vertrauenskrise nur noch bedeutend vertieft haben, was nicht ausschließt, daß Stauffenberg hin und wieder Rückfälle in Illusionen erlitt. Er wollte ja retten helfen. Was kann man retten bei vollkommener Resignation? Noch war er weit davon entfernt, sein Eingreifen in erster Linie als Gewissenstat zu begreifen und ihren Erfolg als zweitrangig zu veranschlagen.

Mit der Katastrophe von Stalingrad verstärkte die Widerstandsbewegung im Militär ihr Werben um die Feldmarschälle. Tresckow bearbeitete nicht nur den schwankenden Kluge; er erhoffte auch Gehör bei Manstein, der um diese Zeit die Heeresgruppe Don befehligte. Vorsorgend hatte er seinen Vetter Alexander Stahlberg als Ordonnanz zu Manstein lanciert. So erfuhr er vieles aus persönlicher erster Quelle, immer unter

Stalingrad, Februar 1943: deutsche Soldaten auf dem Weg in die Gefangenschaft

dem Gesichtspunkt, ob und wieweit Manstein als der bedeutendste der aktiven Generäle (neben Rommel, dem volkstümlichsten) beeinflußbar war. Am Ende war er es nicht. «Es kam», so Stahlberg, «zwischen Manstein und Tresckow zu einem dramatischen Gespräch. [...] Jedenfalls sehe ich beide noch vor mir am Kamin stehen, in höchster Erregung, Manstein bebend vor Aufregung, wie ich ihn noch nie erlebt hatte, und Tresckow mit Tränen der Verzweiflung in den Augen. [...] Später erfuhr ich von Henning, daß Manstein sich ihm endgültig versagt hatte.»[151] So gering er Hitler als militärischen Dilettanten fachlich achtete: «Für ihn war der Oberste Befehlshaber, dem er seinen Eid geleistet hatte, tabu.»[152] Damit habe für ihn die Möglichkeit, gewaltsam in die Führung einzugreifen, außer Diskussion gestanden.

Damit fand auch Stauffenberg keine für ihn günstige Lage vor, als er Manstein am 26. Januar 1943 in Taganrog besuchte. Zeitzler hatte den Oberstleutnant[153] dorthin geschickt, um über die Aufstellung russischer Freiwilligenverbände Vortrag zu halten. Einen Tag, nachdem die Konferenz von Casablanca mit der von Roosevelt und Churchill verabschiedeten Formel der «bedingungslosen Kapitulation» geendet hatte und während die Kämpfe in Stalingrad dem Ende entgegengingen, entledigte sich der Besucher seines Auftrages und bat den Feldmarschall sodann, ihn noch anzuhören.[154]

Generalfeldmarschall Erich von Manstein (rechts), 1942

Er könne sich nicht damit abfinden, daß die 6. Armee ein Opfer von Führungsfehlern sei. Der ganze Rußland-Feldzug bestehe aus einer Kette von Führungsfehlern. Manstein stimmte dem sofort zu, fügte aber an: «Man muß lernen, Stauffenberg, sich mit gegebenen Tatsachen abzufinden, so auch jetzt mit der Tatsache, daß die 6. Armee in Stalingrad verloren ist.» – *Herr Feldmarschall, ich bin nicht imstande, mich ohne weiteres mit Stalingrad abzufinden. Das Opfer von Hunderttausenden deutscher Soldaten steht in keinem Verhältnis zu Sinn und Nutzen dieser Schlacht. [...] Seit dem Scheitern unserer Herbstoffensive 1941 geraten wir von einer Krise in die andere; viele Male haben unsere Armeen am Rande des Zusammenbruchs gestanden. Jetzt ist es im Süden Rußlands allein, wie ich meine, dem überragenden Können eines Feldmarschalls von Manstein zu verdanken, daß hier die Front nicht bereits völlig zusammengebrochen ist.*

Der Oberstleutnant warf im weiteren Verlauf das Stichwort Tauroggen in die Debatte, als Umschreibung dafür, daß er die Zeit gekommen sah, vollendete Tatsachen zu schaffen – wie 1812. Das war der Punkt, an welchem Manstein sich nach seinem Selbstverständnis versagen mußte. Die wörtliche Reaktion hierauf hat der Zeuge Stahlberg nicht festgehalten. Bekannt ist nur, wie Stauffenberg sich anschließend privat dazu geäußert hat; zu dem ihm vertrauten Reserveoffizier Dietz Freiherr von Thüngen:

Die Kerle haben ja die Hosen voll oder Stroh im Kopf, sie wollen nicht.[155] An seine Frau schrieb er: *Das ist nicht die Antwort eines Feldmarschalls.*[156] Thüngen: Er war zornig und voller Vorwürfe. Mehr denn je war er der Meinung, daß Hitler verschwinden müsse.[157]

Überfall aus der Luft

Aus dem letzten Zeitabschnitt der zweieinhalb Jahre währenden Tätigkeit im Generalstab des Heeres liefert uns der Major von Thüngen ein Stimmungsbild von der Arbeitsatmosphäre um Stauffenberg. «Ich habe die Tür von Claus nie geöffnet, ohne ihn am Fernsprecher anzutreffen. Vor ihm Stöße von Papier, die Linke am Hörer, die Rechte mit dem Bleistift bewaffnet, die Akten ordnend. Er sprach mit lebhafter Miene, je nach dem Gesprächspartner lachend (ohne das ging's eigentlich nie) oder schimpfend (das fehlte auch selten) oder befehlend oder dozierend, gleichzeitig aber schreibend, entweder nur die großen, raumgreifenden Buchstaben der Unterschrift oder die kurzen, auffallend präzisen Aktenvermerke. Neben ihm meist der Schreiber, der während der Wartepausen in fliegender Eile Aktenvermerke, Briefe, Notizen aufnahm, ohne daß Claus vergessen hätte, das so peinlich eingehaltene Beiwerk eines hohen Stabes (Briefkopf, Betreff, Bezug) pedantisch genau zu diktieren. Claus gehörte zu den Menschen, die gleichzeitig mit aller Konzentration mehrere Arbeiten erledigen. In erstaunlichem Maße hatte er die Fähigkeit, Akten zu bearbeiten, das heißt, Wesentliches vom Unwesentlichen mit einem Blick zu trennen. Er drückte sich klar aus, und seine blitzartigen, den Nagel auf den Kopf treffenden Zwischenbemerkungen brachten seinen Partner nicht selten in Verwirrung. Bei meinen Besuchen hatte er meistens einen zwölf, auch vierzehn- bis achtzehnstündigen Arbeitstag [...] hinter sich. Sein Arbeitstempo war rasend, seine Konzentration eisern, in diesen Nachtstunden so frisch wie am Morgen. Seine Nerven und seine Gesundheit, die er gewiß nicht schonte, waren beneidenswert.»[158]

Früh im neuen Jahr 1943 mußte er Konzentration, Nerven, Gesundheit auf anderem Felde einsetzen: auf dem neuen Kriegsschauplatz Tunesien, wo eine deutsch-italienische Abwehrfront gegen die britisch-amerikanische Offensive aus Marokko und Algerien aufgebaut worden war; dort, wo kürzlich der ihm befreundete Oberstleutnant Henning von Blomberg gefallen war. In einem Kondolenzbrief an die Mutter Ruth von Blomberg hatten zu Weihnachten 1942 die Worte gestanden, im traditionellen Stil soldatischer Pflichterfüllung und Opferbereitschaft: *Als Soldat weiß ich, daß er, der an der Spitze seiner Mannschaft, im Element seines Soldatentums, im Kampf den Tod fand, am wenigsten zu beklagen ist, erfüllte er doch sein Leben in einem Höhepunkt des Lebens. Und als Mensch glaube*

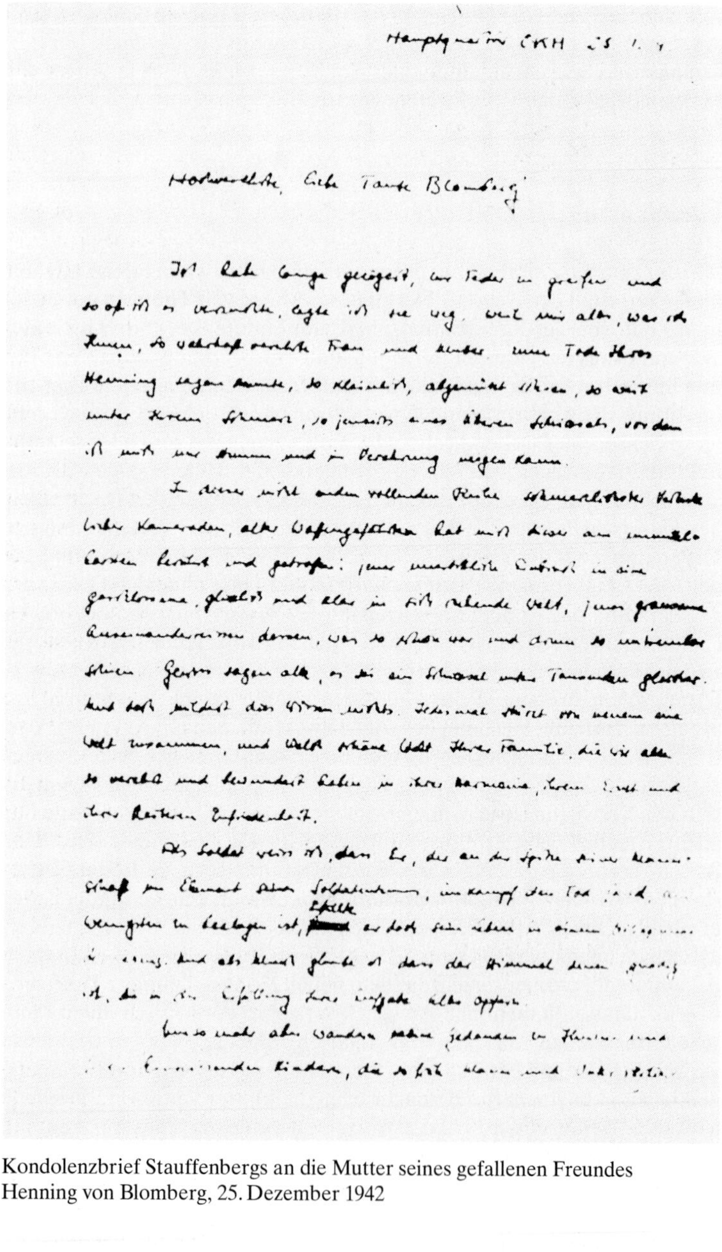

Hauptquartier OKH 25.12.42

Hochverehrte, liebe Tante Blomberg!

Ich habe lange gezögert, zur Feder zu greifen und so oft ich es versuchte, legte ich sie weg, weil mir alles, was ich Ihnen, so wahrhaft verehrte Frau und Mutter, zum Tode Ihres Henning sagen konnte, so kleinlich, abgegriffen schien, so weit unter Ihrem Schmerz, so jenseits eines höheren Schicksals, vor dem ich mich nur stumm und in Verehrung neigen kann.

In dieser nicht enden wollenden Reihe schmerzlichster Verluste lieber Kameraden, alter Waffengefährten hat mich dieser am unmittelbarsten berührt und getroffen: jener unerbittliche Eingriff in eine geschlossene, glücklich und klar in sich ruhende Welt, jenes grausame Auseinanderreissen dessen, was so schön war und immer so unzertrennbar schien. Gewiss sagen alle, es sei ein Schicksal unter Tausenden gleicher. Und doch mildert dies Wissen nichts. Jedesmal stürzt von neuem eine Welt zusammen, und welch schöne Welt Ihrer Familie, die wir alle so verehrt und bewundert haben in ihrer Harmonie, ihrem Ernst und ihrer heiteren Zufriedenheit.

Als Soldat weiss ich, dass Er, der an der Spitze seiner Mannschaft im Element seines Soldatentums, im Kampf den Tod fand, am wenigsten zu beklagen ist, ~~[illegible]~~ erfüllte er doch sein Leben in einem [illegible]. Und als Mensch glaube ich, dass der Himmel denen gnädig ist, die in der Erfüllung ihrer Aufgabe alles opfern.

Umso mehr aber wandern meine Gedanken zu Ihnen und Ihren trauernden Kindern, die so froh waren und [illegible]

Kondolenzbrief Stauffenbergs an die Mutter seines gefallenen Freundes Henning von Blomberg, 25. Dezember 1942

ich, daß der Himmel denen gnädig ist, die in der Erfüllung ihrer Aufgabe alles opfern.[159]

Noch wußte der Oberstleutnant i. G. nicht, daß seine nächste Zukunft genau dort liegen würde, wo Henning von Blomberg «alles geopfert» hatte. Er kam Anfang Februar 1943 in der Erwartung nach Deutschland, während eines dreiwöchigen Urlaubs seine neue Verwendung zu erfahren. Am Tage seiner Ankunft in Berlin traf die Nachricht vom Ende der Kämpfe in Stalingrad ein. Der frühere Botschafter von Hassell notierte: «Angesichts eines Ereignisses, das in der deutschen Kriegsgeschichte einzig dasteht, sollten ja nun auch dem Blindesten die Schuppen von den Augen fallen.»[160] Im Berliner militärischen Widerstand um Generalmajor Oster (im Stabe von Canaris) und General Olbricht (beim Befehlshaber des Ersatzheeres, Fromm), wo man Stauffenberg schon länger im Blick hatte, fiel die Äußerung, «er habe nun begriffen und mache mit»[161].

Zum Mitmachen bestand nur vorerst keine Gelegenheit. In Berlin erreichte Stauffenberg der Befehl, Mitte Februar – ein paar Urlaubstage in Lautlingen blieben dennoch – als 1. Generalstabsoffizier (I a) zur 10. Panzerdivision nach Tunesien zu gehen und dort Oberst Bürklin zu ersetzen, der schwer verwundet worden war. Der Nachfolger traf in dem Augenblick auf dem Kriegsschauplatz ein, als die Division, zusammen mit der 21., bei Faid in Mitteltunesien die amerikanischen Stellungen durchbrach und den unerfahrenen Gegner in schockartige Verwirrung stürzte. Das Erfolgsgefühl nach den quälenden Eindrücken der letzten Monate in Rußland währte nur kurz. Zu schwach waren die deutschen Reserven, zu stark die alliierten. Rommels Vorstoß endete nach neun Tagen mit der Aufgabe des eroberten Gebietes von mehr als hundert Kilometern Tiefe.

Statt dessen wollte der Oberkommandierende das Gewicht eines neuen Angriffs nach Süden verlagern, um den britischen Aufmarsch gegen die Mareth-Stellung zu verzögern, wenn er schon nicht zu verhindern war. Denn das mußte jedem unverblendeten Beobachter klar sein: Das Afrikakorps befand sich angesichts seines Zweifrontenkampfes bei alliierter Luftherrschaft und ohne nennenswerten Nachschub in verzweifelter Lage. Die Viertelmillion deutscher und italienischer Soldaten ging dem zweiten Stalingrad des Jahres 1943 entgegen – nicht in der Furchtbarkeit einer Zermürbungsschlacht inmitten einer eisigen städtischen Trümmerlandschaft, doch in der gleichen Größenordnung von Verlusten an Menschen und Material.

Der neue Angriff blieb schon am ersten Tag vor den Linien der Engländer stecken und mußte abgebrochen werden. Das gleiche passierte allerdings umgekehrt dem Gegner zwei Wochen später. Doch der weitere deutsche Rückzug nach Norden war unvermeidlich.

So hoffnungslos die Gesamtlage war, in ihrem Wechsel wirkte sie wie aus dem Lehrbuch: *Hier auf dem afrikanischen Kriegsschauplatz,* sagte der 1. Generalstabsoffizier damals zu seinem Divisionskommandeur Generalmajor Freiherr von Broich, *kommt fast jeden Tag eine andere Art der Truppenführung zur Anwendung: heute Angriff, morgen Verteidigung, dann Rückzug, wieder Angriff, hinhaltender Widerstand und so weiter. Alles, was man auf der Kriegsakademie gelernt hat, kommt hier alle vierzehn Tage zur Anwendung.*[162]

Den Kommandeur verband mit seinem zugeordneten engsten militärischen Gehilfen eine – im Rahmen der Dienstverhältnisse und des Rangabstandes – hervorragende Frontkameradschaft. Sie rührte nicht allein aus dem Respekt für den Sachverstand des Untergebenen («Als I a war er jeder Situation bestens gewachsen»[163]), sondern ebenso aus gemeinsamer Ablehnung des Regimes. Broich: «Seine Ansicht war damals schon, nur mit Hilfe und unter Führung des Militärs sei eine Änderung möglich, und zwar nur eine gewaltsame. [...] Und wenn das nicht bald vor sich ginge, sei Deutschland verloren.»[164] Dabei war kein Ansatz zu erkennen, wie es geschehen sollte, denn: Stauffenberg habe auf Frontreisen in Rußland zwar von den Oberbefehlshabern allenthalben die Einsicht vernommen, daß es so nicht weitergehen könne und daß etwas geschehen müsse. «Aber keiner stellte sich zur Verfügung oder wollte die Führung übernehmen.»[165]

Von dem Stil, in welchem Stauffenberg Aufgaben bewältigte, Krisen meisterte, Umgang pflegte, liegen auch aus Afrika Zeugnisse vor. Der Kommandeur eines Panzerregimentes, Oberst Hans Reimann, berichtet: «Die Truppe hatte immer das Gefühl, gut geführt zu werden. Es gab auch bei Absetzbewegungen keine Unordnung, weil der Divisions-Kommandeur und sein I a alle Friktionen mit ruhiger Gelassenheit überwanden und diese ruhige Stetigkeit auf die Truppe übertrugen.» Stauffenberg habe bei aller Stabsarbeit immer Zeit gefunden, die Regimenter und Bataillone zu besuchen, um in zwangloser Besprechung an Ort und Stelle zu klären, was üblicherweise auf dem Dienstweg geregelt wurde. «Die Unterhaltung mit ihm umfaßte nicht nur dienstliche Dinge, sondern erstreckte sich auch auf Geschichte, Geographie und Literatur und zwangsläufig auch auf Politik. Bei aller spürbaren Ablehnung des damaligen Systems versuchte er niemanden zu überreden oder zu beeinflussen.»[166]

Ein neu eingetroffener Kompaniechef meldete sich beim I a gerade zum Zeitpunkt heftigen Artilleriebeschusses. Während einer Feuerpause wischte der Oberstleutnant Glassplitter und Schmutz von den Karten in seinem fahrbaren Gefechtsstand und wies den Besucher durch die zerborstenen Busscheiben vorsorglich auf zwei Erdvertiefungen, zwei Deckungslöcher hin. *Wenn das wieder losgeht, dann nehmen Sie das rechte, ich das linke Loch.*[167]

Der junge Offizier, der spätere Berliner Historiker Friedrich Zipfel, rühmt die lebhafte, offene Art des Vorgesetzten, so daß ein Untergebenenkomplex gar nicht habe aufkommen können. In dieser zwanglosen Atmosphäre war dann auch möglich, daß der Kompanieführer auf die

In Tunesien, Frühjahr 1943: in der Dreiergruppe Generalfeldmarschall Rommel (rechts) im Gespräch mit Stauffenberg (links) und Friedrich Freiherr von Broich (mit dem Rücken zum Betrachter)

Frage, warum er jetzt noch nach Tunesien komme, ironisch antwortete: wohl zum Zwecke der Gefangennahme. Die vergnügte Antwort: *Ja, ja, dann haben wir Glück, für uns ist der Krieg zu Ende.*[168]

Solches Glück sollte Claus Stauffenberg nicht beschieden sein. Beim Rückzug der 10. Panzerdivision in Richtung Mezzouna, übermächtigem Druck weichend, ereilte ihn am 7. April 1943 ein schlimmes Geschick. Freiherr von Broich schildert den äußeren Ablauf so: «Ich sehe ihn noch heute [1962], wie er sich im Gelände von mir verabschiedete. Wir ‹übten› mal wieder ‹Rückzug und hinhaltenden Widerstand›. Da wegen der Fliegerangriffe die Bestimmung bestand, daß der Divisionskommandeur und der I a nicht in demselben Wagen fahren durften, meldete er sich bei mir ab, um zum neuen Gefechtsstand weiter rückwärts zu fahren. Ich sagte ihm noch: ‹Nehmen Sie sich vor den Fliegern in acht! Ich komme in etwa einer Stunde nach, wenn das letzte Bataillon hier durch ist.› Als ich dann selbst zurückfuhr, nur mit Funkwagen und zwei Meldern, wurden wir auf der völlig deckungslosen Ebene sehr bald von ca. 20 Jägern angegriffen, kamen aber noch aus dem Wagen heraus und konnten uns im Gelände verteilen, wo uns die MG-Garben zufälligerweise nicht trafen. Als wir weiterfuhren, stießen wir gleich darauf auf den völlig durchlö-

Deutsche Truppen in Tunesien, 1943

cherten Wagen von Stauffenberg. Wir wußten, was passiert war, und fürchteten das Schlimmste.»[169]

Hier, südwestlich von Mezzouna, fünfzig Kilometer von der Küste entfernt, war der offene Wagen des Grafen bei einem Jagdbomber-Überfall, der ein Inferno in der Fahrzeugkolonne anrichtete, nach Augenzeugenberichten von vorn getroffen worden. Durch Geschosse und Splitter verlor der Fünfunddreißigjährige das linke Auge, die rechte Hand – sie wurde im Feldlazarett der Küstenstadt Sfax über dem Gelenk amputiert – und den vierten und fünften Finger der linken.

Beim anschließenden Lazarettaufenthalt in München strömten die Besucher herbei: aus der Familie, dem zivilen Freundeskreis, dem Militär; sogar der Generalstabschef Zeitzler kam ans Krankenbett. Wer bei dem Schwerverletzten saß, spürte alsbald seine wiedererwachende Willenskraft. Schmerzstillende Mittel und Schlaftabletten lehnte er ab[170], ungeachtet zusätzlicher Kniegelenk- und Mittelohr-Operation sowie herauseiternder Splitter. Mit der linken Hand, soweit noch gebrauchsfähig, lernte er schreiben. Mit dem Lebenswillen und der wiedergewonnenen Energie kehrte auch die Sorge um das Land zurück. *Es wird Zeit, daß ich das Deutsche Reich rette,* sagte er zu seiner Frau. «Dazu bist du in deinem Zustand gerade der Richtige», antwortete sie. Sie erläuterte in einem Interview: «Ich habe diesen Satz gewissermaßen als Witz abgetan, aber es war wohl der Moment, als der Entschluß in ihm reifte, selber aktiv einzugreifen.»[171]

Allerdings war die Art der Wiederverwendung noch ganz offen, somit ungeklärt, wie solches Eingreifen aussehen sollte. Auch wissen wir aus dem inneren Wandel von der Gefolgschaft über den Zweifel bis zum entschiedenen moralischen Widerstand, daß man Stauffenbergs Auffassung, retten zu müssen, nicht auf einen einzigen Erweckungsmoment eingrenzen darf. Stärker freilich als bisher dürfte sich ihm in den Leidenswochen die Notwendigkeit zu handeln oder mitzuhandeln aufgedrängt haben. Der Satz vom Retten ist sicher authentisch, weil die Gräfin ihn wesentlich früher schon, nur in etwas anderer Fassung, wiedergegeben hatte: *Weißt du, ich habe das Gefühl, daß ich jetzt etwas tun muß, um das Reich zu retten. Wir sind als Generalstäbler alle mitverantwortlich.*[172] Sein Leidensgefährte Wilhelm Bürklin, verwundet zuvor in der gleichen militärischen Funktion auf demselben Kriegsschauplatz, verzeichnete eine Äußerung aus dem Lazarett in München: *Nachdem die Generäle bisher nichts erreicht haben, müssen sich nun die Obristen einschalten.*[173] Peter Sauerbruch, Regimentskamerad in Bamberg, hielt fest, daß dieser sein Überleben als Gnade empfand, in der Gewißheit, für eine höhere Aufgabe bewahrt zu sein. Der Genesende wörtlich: *Ich könnte den Frauen und Kindern der Gefallenen nicht in die Augen sehen, wenn ich nicht alles täte, dieses sinnlose Menschenopfer zu verhindern.*[174]

Sein Biograph Christian Müller hebt hervor, daß er sich im Denken und Handeln auch an seinem Urahn Gneisenau orientierte. So liegt nahe anzunehmen, er habe sich gerade in dieser Phase des Buches erinnert, das Rudolf Fahrner im Vorjahr veröffentlicht hatte. Stauffenberg kannte es vom Manuskript her schon vor Kriegsbeginn. Man müßte sehr fehlgehen, wenn der Nachfahre Gneisenaus nicht eben jetzt speziell an die Passage gedacht hätte, in welcher der spätere General Karl Graf von der Groeben

August Neidthardt von Gneisenau (1760–1831).
Gemälde von Franz Krüger, 1813

1812 beim Zwangsbündnis Preußens mit Frankreich Gneisenau feierlich anrief: «Es naht die Zeit drangvoller, aber auch großer und herrlicher Entwicklungen. Nur einer ist, der sie lösen kann, auf Ihnen ruht das Auge Deutschlands… Fachen Sie ihn an, den Funken, der in aller Herzen schlummert! Nicht meine Stimme ist's allein, die sich zu Ihnen erhebt, ich rede im Namen einer Welt. Winken Sie – wir folgen! Seien Sie der Heerführer einer deutschen Heiligen Schar. Nur dem Großen, Außerordentlichen entspricht das Große, Ewiglebende. Dem Gottgeweihten ist nichts zu kühn. Was e i n Mann vermag, lehrt die Geschichte – wollen Sie, und Sie stehen nicht allein.»[175] Das Muster ist übertragbar. Man brauchte den Appell zur Befreiung von der Fremdherrschaft nur umzudeuten in die Befreiung vom inneren Feind.

Der Kenner der preußischen Ära von Reform und Aufbruch lebte in dem Bewußtsein, daß der Soldat sich nicht damit begnügen könne, rein militärisch zu denken, *wiewohl es […] gerade unsre Besten zu tun geneigt sind.* So steht es schon in einem Brief, den er im März 1939 an Generalmajor Georg von Sodenstern geschrieben hatte: mit Gedanken über dessen gedruckten Aufsatz «Vom Wesen des Soldatentums». *Soldat sein,* so lautet ein wesentlicher Satz des Briefes, *und insbesondere soldatischer Führer, Offizier sein heisst, Diener des Staats, Teil des Staats sein mit all der darin inbegriffenen Gesamtverantwortung. Das Offizierskorps* sei *die eigentliche Verkörperung der Nation.*[176] Dem letzten Satz kann durchaus widersprochen werden, nicht nur für die Zeit, aus der der Brief stammt, sondern sogar für die Epoche Gneisenaus; aber es ist eine Formel aus dessen Geist, und der Nachfahre nahm sie schicksalhaft ernst.

Nach etwa zehnwöchigem Aufenthalt im Lazarett in München fuhr der als relativ geheilt Entlassene – eine orthopädische Nachbehandlung sollte folgen – am 3. Juli 1943 zur Erholung nach Lautlingen. Ein Foto zeigt ihn mit Augenklappe inmitten seiner Kinder. Zu Hause beschäftigte er sich auch literarisch, übermittelte zum Beispiel in einem Brief an Fahrner Kürzungsvorschläge zu dessen Nacherzählung des Rolandliedes: vom Sagenhelden, der am Ende des 8. Jahrhunderts in einem Hinterhalt in den Pyrenäen tapfer kämpfend untergeht. Der Brief trägt das Datum vom 20. Juli 1943…

Auf Genesungsurlaub in Lautlingen, Sommer 1943: Stauffenberg mit Sohn Heimeran, Tochter Valerie, Nichte Elisabeth, Neffe Alfred und Sohn Franz Ludwig (von links nach rechts)

Verschwörung

Im europäischen Mittelalter hatte der Rechtssatz gegolten: Treue um Treue. Nicht nur der Gefolgsmann stand seinem Lehnherrn gegenüber in der Pflicht. Seine Ergebenheit, sein Dienst verlangte umgekehrt Fürsorge und Schutz, Recht und Gerechtigkeit. Verletzte der Gebietende die moralischen Bindungen des Herrschaftsvertrages, so war Widerstand statthaft, ja, geboten. Denn über aller Menschensatzung stand das Recht als ein gleichsam objektiver Wert. Das Eichmaß war das Bewußtsein der Freien. Wir schulden den als «dunkel» verdächtigten Jahrhunderten des deutschen Mittelalters Respekt für die Würde ihrer unverfaßten Verhaltensnormen. Mit gutem Grund also kannte das germanisch-fränkisch-deutsche Zeitalter trotz seiner christlichen und römischen Beimischungen keine bedingungslose Herrschergewalt.

Vieles änderte sich mit dem Humanismus und der Reformation. Von Italien her drang das wiederentdeckte römische Recht nach Norden vor, wohlgelitten in den Kanzleien der deutschen Fürstenstaaten. Es war handlicher als das überkommene Gewohnheitsrecht in seiner Vielgestalt, angemessener den Bedürfnissen nach Zentralisation. Unmerklich veränderte sich dadurch zugleich das Verhältnis von Herrscher und Volk; die italienische Staatstheorie des 15. Jahrhunderts hatte dem absolutistischen Imperatorenanspruch aus verschüttetem Denkgrunde wieder ans Licht geholfen und formuliert, daß sogar Unrecht des Herrschers geduldig zu tragen sei.

Aus ganz anderen Beweggründen, gleichwohl mit ähnlichem Effekt unterstützte Martin Luther das Unterwerfungsverlangen. Man kann sogar sagen, durch ihn kam es eher zum Tragen als durch das römische Recht, weil, wer über die Seelen gebietet, mehr Einfluß gewinnt. In unbedingter Bibeltreue gab Luther dem 13. Kapitel des Römerbriefes ein bis dahin unbekanntes Gewicht: «Jedermann sei untertan der Obrigkeit, die Gewalt über ihn hat, denn es ist keine Obrigkeit ohne von Gott...» Dieser im ganzen Mittelalter schon gelesene Abschnitt gewann nicht zufällig erst Macht, als die mittelalterlichen Herrschaftsauffassungen unter veränderten Gesellschaftsbedingungen verblaßten.[177]

Ganz vergessen aber wurden die alten Zusammenhänge von Treue auf Gegenseitigkeit nie. Durch einige Jahrhunderte stritten Gehorsam und Gewissen, besonders dort, wo hohe Dienstgesinnung herrschte, wie in Preußen, und diese den Monarchen ausdrücklich einbezog. Die Überlieferung kennt bemerkenswerten Mut vor dem Thron, wenn vom Gehorsam mehr gefordert wurde, als das Gewissen zubilligte. Berühmt ist die Weigerung des friderizianischen Offiziers Johann Friedrich Adolph von der Marwitz, das sächsische Schloß Hubertusburg 1760 auf Befehl seines Königs zu plündern, als Vergeltung für die Plünderung des Schlosses Charlottenburg durch sächsische Truppen. Auf dem Grabstein des Majors in Friedersdorf an der Oder ist noch heute zu lesen: «Wählte Ungnade, wo Gehorsam nicht Ehre brachte». Zum zehnten Jahrestag des 20. Juli 1944 sagte der erste Bundespräsident Theodor Heuss in seiner Gedenkrede: «So mag das Preußische als moralische Substanz begriffen werden. Und wenn irgendwo, dann steht Preußens Denkmal in einer Dorfkirche der Mark Brandenburg in Friedersdorf.»[178]

Der geschichtsgebildete schwäbische Professor durfte überzeugt sein, daß sein Landsmann, der geschichtsgebildete schwäbische Offizier, den Vorgang gekannt hatte, auf den er hier anspielte. Beispiele für Gewissensfreiheit in der Vergangenheit gewannen im traditionsbewußten Offizierskorps vor 1945 auch deshalb um so größeres Gewicht, weil der Nationalsozialismus mit dieser Überlieferung gebrochen hatte. Er verlangte ein selbst im Absolutismus längst nicht erreichtes Maß von Übereignung der Person. «Der sogenannte blinde Gehorsam ist hitlerischen Ursprungs», schreibt Fabian von Schlabrendorff. «Im Regelfall ist Gehorsam zu fordern und zu leisten. Es gibt aber Fälle, in denen Ungehorsam geboten ist. Das ist gerade in Preußen innerhalb des Heeres rechtlich und tatsächlich unbestritten gewesen.»[179]

Unbestritten, aber zwischen 1939 und 1945 nicht mehr beispielhaft anzuwenden wie früher. Jetzt hätte man sich keine Situation vorstellen können ähnlich derjenigen aus dem Siebenjährigen Krieg, als der Reitergeneral Seydlitz einen Befehl des Königs – verbunden mit der Drohung, er hafte mit seinem Kopf – verweigerte, indem er ausrichten ließ, nach der Schlacht stehe sein Kopf Majestät zur Verfügung, bis dahin benötige er ihn noch selbst…

Und weil diese Souveränität nicht mehr möglich war, sondern der im personalisierten Eid auf den «Führer und Reichskanzler» begründete blinde Gehorsam die Wehrmacht in die Verbrechen gerade in der Sowjetunion mitverstrickte, mußte aus den Tiefen der Tradition Widerstand hervorgehen. Wenn er bis zur Bereitschaft zum «Tyrannenmord» reichte, so ist nach den moralisch-ethischen Rechtfertigungen zu fragen. Die Erinnerungen an mittelalterliches Auflehnen gegen einen «unge-

Eine Feier zum Geburtstag Hitlers, Mitte der dreißiger Jahre

Das Verhängnis. Lithographie von A. Paul Weber, 1932 / 1963

treuen Lehnsherrn» lieferte zwar Ansatzpunkte, gerade in den Adelsfamilien mit lebendiger Beziehung zu altem Herkommen, reichte aber doch nicht aus im Kontext völlig veränderter Zeitumstände. Da mußten dann noch andere Argumente aufgeboten werden, mußte das verwundete Rechtsgefühl sich zeitgenössisch absichern. Was sagte die Theologie?

Stauffenberg hatte schon im Spätsommer 1942 in Winniza gegenüber dem Generalstabsmajor Berger auf Thomas von Aquin verwiesen, welcher den Tyrannenmord unter bestimmten Bedingungen für statthaft, ja, verdienstvoll gehalten habe.[180] Im November 1943 vernahm Hauptmann Axel von dem Bussche die Äußerung: *Natürlich haben wir Katholiken eine andere Einstellung* (als die Lutheraner) *dazu, weil es in der katholischen Kirche eine Art stillschweigender Übereinkunft gibt, daß unter gewissen Umständen ein politischer Mord gerechtfertigt werden kann.* Thomas' Lehre sei weniger streng darin als die evangelische. Doch auch Luther habe die Anwendung von Gewalt in extremer Lage erlaubt.[181]

Der äußere Anschein spricht dafür, daß Thomas dem Widerstandsrecht gegenüber geöffneter, Luther verschlossener war. Den hochmittelalterlichen Kirchenlehrer Thomas beeinflußten nicht zuletzt die verschwenderisch gehandhabten päpstlichen Kampfmittel gegen Könige und Kaiser seit dem Investiturstreit, bis hin zum Lösen der monarchischen Gefolgsleute vom Treueid. Hingegen sah beim frühneuzeitlichen Reformator jeder, wie ernst er Römer 13 nahm. Luthers radikale, erschreckende Haltung im Bauernkrieg trug wesentlich zu der Ansicht bei, die pauli-

Antifaschistische Streuzettel von Hanns Kralik

nische Formel gelte für ihn uneingeschränkt und absolut. Bei genauem Zusehen ist es nun aber so, daß Thomas die vielleicht entgegenkommendere Haltung zum Widerstand in seinem glättenden Duktus fast verdunkelt, Luther dagegen, wenn er sich an ziemlich entlegener Stelle doch zum Widerstandsrecht durchringt, alle Schleusen seiner Wortflut öffnet und seitenlang zitierfähige Freibriefe ausstellt. Am Ende haben wir fast eine umgekehrte Beweislage.

Thomas hat dem Naturrecht, dem Gewissen hohen Rang eingeräumt, mit Sätzen wie: «Da also ein göttliches Gebot auch wider die Anordnung eines Vorgesetzten und mehr als diese verpflichtet, so wird daher die Verbindlichkeit des Gewissens höher sein als die Verbindlichkeit der Anordnung eines Vorgesetzten; und das Gewissen wird auch dann verpflichten, wenn die Anordnung eines Vorgesetzten ihm widerstreitet.»[182] In diesen Worten liegt das Recht zur Verweigerung gegenüber der «Obrigkeit», wie wir im Lutherdeutsch zu übersetzen gewohnt sind; direkte Auflehnung wird hierin nicht freigestellt. Das Widerstandsrecht sieht Thomas ohnehin kollektiv eingebunden: indem das Volk einen Herrscher abzusetzen berechtigt sei, ohne sein Treuegebot zu verraten, wenn jener das seine gebrochen hat. Das persönliche Notwehrgesetz des Tyrannenmordes wird von dem großen Theologen des 13. Jahrhunderts im Prinzip nicht gestützt. So konnte ein katholischer Moraltheologe 1952 in einem Gutachten zur ethischen Seite des Umsturzversuches vom 20. Juli 1944 argumentieren: «Bis in die Mitte des vorigen Jahrhunderts haben die offiziellen Verlautbarungen der katholischen Kirche stets dahin entschieden, daß die Beseitigung eines einmal anerkannten Herrschers durch direkte Tötung objektiv nicht gerechtfertigt werden kann.»[183] Wenn derselbe Gutachter aus grundsätzlich veränderten Staatsbedingungen des 20. Jahrhunderts schlußfolgert, es «blieb nur noch die Abwehr [...] durch aktiven Widerstand»[184] bis hin zum Versuch des Tyrannenmordes, so wird jedenfalls die theologische Rückendeckung dafür nicht aus dem Mittelalter geholt.

Wenn hingegen der Lutheraner eine theologische Legitimation für die Auflehnung gegen Herrscherwillkür suchte, konnte er sie in der «Warnung An seine lieben Deudschen» von 1531 finden. Man muß allerdings das zeitgebundene unmäßige Wettern wider die «Papisten» in den Kontext des 20. Jahrhunderts übertragen, um dann Sätze zu lesen wie: «Denn inn solchem fall, wenn die mörder und bluthunde kriegen und morden wollen, so ists auch in der warheit kein auffrur, sich widder sie setzen und weren. [...] Was thustu nu, wenn du fur solche mörder dein leben wogest. Du machest dich solches alles mit schuldig. [...] Das müste denn alles auff deinem halse und gewissen ligen, und müstest aller solcher grewel teilhafftig und schuldig sein, wo du hülffest da fur streiten. [...] Hinfurt las ich den richten, der richten wil, sol und auch kan.»[185]

Das ist lutherisches Widerstandsrecht. Religiöses und Weltliches sind dabei nicht zu trennen, so wenig wie der totalitäre Staat in seinem Zugriff trennt und scheidet. Zusammengenommen, war aus beiden Konfessionen ein früher oder später begründetes Recht zum Widerstand herzuleiten, im Calvinismus, der dritten wichtigen Glaubensrichtung des Christentums, sogar noch deutlicher als bei den beiden älteren.

Ludwig Beck

Was als deutscher militärischer Widerstand in die Geschichtsbücher eingegangen ist, begann im Grunde mit dem fast klassisch formulierten Veto des Generalstabschefs Beck am 16. Juli 1938 gegenüber dem Heeres-Oberbefehlshaber von Brauchitsch in der Sudetenkrise. «Es stehen hier letzte Entscheidungen über den Bestand der Nation auf dem Spiele. Die Geschichte wird diese Männer mit einer Blutschuld belasten, wenn sie nicht nach ihrem fachlichen und staatspolitischen Wissen und Gewissen handeln. Ihr soldatischer Gehorsam hat dort eine Grenze, wo ihr Wissen, ihr Gewissen und ihre Verantwortung die Ausführung eines Befehls verbieten. Finden ihre Ratschläge und Warnungen in solcher Lage kein Gehör, dann haben sie das Recht und die Pflicht vor dem Volk und der Geschichte, von ihren Ämtern abzutreten. Wenn sie alle in einem geschlossenen Willen handeln, ist die Durchführung einer kriegerischen Handlung unmöglich. Sie haben damit ihr Vaterland vor dem Schlimmsten, vor dem Untergang, bewahrt. Es ist ein Mangel an Größe und an Erkenntnis der Aufgabe, wenn ein Soldat in höchster Stellung in solchen Zeiten seine Pflichten und Aufgaben nur in dem begrenzten Rahmen seiner militärischen Aufträge sieht, ohne sich der höchsten Verantwortung vor dem gesamten Volk bewußt zu werden. Außergewöhnliche Zeiten verlangen außergewöhnliche Handlungen!»[186]

Ein Aufruf zum aktiven Widerstand war dies noch nicht, erst zum passiven, nicht zum Staatsstreich, sondern zum Ungehorsam. Da aber das Staatsoberhaupt auf dem einmal erkannten Weg ins Verderben nicht innehielt, zielten die «außergewöhnlichen Handlungen» alsbald über bloßes Verweigern hinaus; nur daß der erste Anlauf fast im Sprung abgebrochen wurde. Der nächste Versuch benötigte dann quälend langes Neubesinnen, mehr noch: immer neue Ansätze zum Verwirklichen.

Übrigens hätten die Aufrührer neben altdeutschem Recht und theologischem Zuspruch obendrein das Buch «Mein Kampf» zur Rechtfertigung ihres Kampfes heranziehen können. Dort steht alles drin; nur daß der Propagandist und Parteiführer der zwanziger Jahre auch zwei Jahrzehnte später das theoretische Szenarium in keinem Moment auf sich selbst bezogen hätte: «Staatsautorität als Selbstzweck kann es nicht geben, da in diesem Falle jede Tyrannei auf dieser Welt unangreifbar und geheiligt wäre. Wenn durch die Hilfsmittel der Regierungsgewalt ein Volkstum dem Untergang entgegengeführt wird, dann ist die Rebellion eines jeden Angehörigen eines solchen Volkes nicht nur Recht, sondern Pflicht.»[187]

Das Netz

Der schwerverwundete Oberstleutnant Stauffenberg scheint zunächst eine Rückkehr an die Front gewünscht zu haben – was die Möglichkeit, Hitler aktiv zu bekämpfen, im Prinzip nicht minderte; das Beispiel Tresckows beweist es. Der damalige Generalstabschef Zeitzler stellte ihn jedoch aus Schonungsgründen bis auf weiteres dem Befehlshaber des Ersatzheeres in Berlin zur Verfügung. Dieser Beschluß kam General Olbricht, dem führenden Kopf der Verschwörung in der Bendlerstraße, gelegen. Olbricht, Leiter des Allgemeinen Heeresamtes, hatte sich um den

Friedrich Olbricht (mit erhobenem Arm) in der Heeresgebirgsschule Fulpmes, Frühjahr 1944

Versehrten bemüht, weil er von dessen innerer Wende wußte und weil sein bisheriger Stabschef Oberst Reinhardt aus der Etappe «nach draußen» wollte. Schon Anfang Mai 1943 muß der Wechsel festgestanden haben, denn der Genesende ließ mitteilen, daß er in einem Vierteljahr verfügbar zu sein hoffe.

Das war zu optimistisch veranschlagt. Es wurde Mitte September daraus, offiziell erst Anfang Oktober. Eigentlich hätte er sogar dann noch in der Nachsorge-Behandlung sein müssen, weil Professor Sauerbruch ihm die selbstentwickelte künstliche Hand mit dem Unterarmstumpf verbinden wollte. Der Patient sagte den anberaumten Operationstermin kurzfristig ab, nachdem Olbricht ihn telefonisch dringlich nach Berlin gerufen hatte. Dessen Sekretärin Anni Lerche, der er den Eindruck «eines völlig gesunden Menschen» vermittelte, behielt hinsichtlich der «Sauerbruch-Hand» die Auskunft im Gedächtnis: *Ach, ich habe jetzt keine Zeit. Das mache ich einmal später.*[188] Zu Wilhelm Bürklin sagte er lachend, er komme mit seinem Zustand gut zurecht und wisse kaum mehr, was er einmal mit seinen zehn Fingern angefangen habe.[189] Der Bruder Alexander schrieb 1954 in der Erinnerung: «Wer den Schwerversehrten in diesem seinem letzten Lebensjahr begegnen durfte, fühlte sich gleichsam mitgerissen von einer unbändigen Kraft, die von ihm ausging. Die körperlichen Beeinträchtigungen empfand man nicht als solche, im Gegenteil, die Art, wie er sie überwunden hatte, schien sein Wesen bereichert zu haben, und zu dem jünglingshaften Zauber von ehedem war eine neue Männlichkeit gekommen, eine sichere, in sich ruhende Gelassenheit, etwas Wuchtiges, das man so an ihm früher nicht gekannt hatte.» [190]

Die Zeitnot der Widerständler war begreiflich. Die militärische Lage hatte sich in den Monaten seit Stauffenbergs Verwundung weiter sehr ungünstig entwickelt. Um nur die wichtigsten Daten zu nennen: am 13. Mai 1943 Kapitulation der Heeresgruppe in Tunesien; am 9./10. Juli Landung der Alliierten auf Sizilien; Mitte Juli verlustreiches Scheitern der letzten deutschen Offensive im Osten im Raum von Kursk; 25. Juli Entmachtung und (vorübergehende) Gefangennahme Mussolinis durch einen Staatsstreich, dem Anfang September die Kapitulation Italiens gegenüber den Alliierten folgte, zeitgleich mit deren Landung bei Salerno südlich von Neapel.

Wilhelm Canaris

Hans Oster

Nicht minder besorgniserregend sah es an der unsichtbaren «Heimatfront» aus. Die Gestapo wurde um so wachsamer und gefährlicher, je deutlicher sie wahrnahm, daß untergründig Gegenkräfte am Werke waren. Zweimal hatte sie schon solche Gruppen zerschlagen: im August 1942 die von ihr so bezeichnete sowjetfreundliche «Rote Kapelle» in Berlin (Hinrichtungen im Dezember), im Februar 1943 die akademische Widerstandsgruppe «Weiße Rose» in München (Hinrichtungen ab Februar 1943). Schließlich gelangten im Frühjahr 1943 die Spürhunde auf einer heißen Fährte direkt in ein Zentrum der Konspiration: in die militärische Abwehr, die sowohl ihren militärischen Aufgaben gerecht zu werden suchte als auch in einem schier unmöglich scheinenden Doppelspiel zugleich das Regime bekämpfte, das sie per Auftrag sichern half. Im Zusammenhang mit dem Hinausschmuggeln jüdischer Familien aus Deutschland in die Schweiz waren Devisenunkorrektheiten ans Licht gekommen und führten zur Verhaftung des Reichsgerichtsrates Hans von Dohnányi und seines Schwagers Dietrich Bonhoeffer. Über die Inhaftierung des im Amt Canaris tätigen Juristen Dohnányi stürzte Generalmajor Oster. Admiral Canaris sah sich gezwungen, seinen engsten Mitarbeiter im April 1943 vom Dienst zu suspendieren. Das war ein Warnzeichen erster Klasse für alle Eingeweihten. «[…] man muß befürchten, daß dies ganze Unternehmen zusammenkracht», notierte Ulrich von Hassell mit Blick auf die Umsturzvorbereitungen.[191] Zum Glück bewahrheitete sich, was er aus Insiderkenntnis hinzufügte: daß bei den Verhören «die Politik, wie es scheint, nur gestreift worden» sei. In der Prinz-Albrecht-Straße, dem Sitz der Gestapo, ahnte man manches, wußte dennoch nicht, welche Fäden im Amt Canaris am Tirpitzufer zwischen Tiergarten und Landwehrkanal gesponnen wurden.

Mit dem Ausscheiden Osters, der natürlich genau beobachtet wurde, rückte das Ressort Olbricht «um die Ecke» in der Bendlerstraße an die wichtigste Stelle im Netz des Widerstandes im Reich. Hier gingen alle, die dazugehörten, noch ungefährdet ein und aus; natürlich möglichst immer unter dienstlichem Vorwand oder wirklich in dienstlicher Sache. Die Zweigleisigkeit zwischen eigentlichem Amtsgeschäft und subversivem Handeln belastete die Hauptbeteiligten über Jahre hin in kaum mehr nachfühlbarer Weise. Im zweiten Fall kam ja das immerwährende Sichern, Abschirmen, Wachsamsein gegenüber tausend mißtrauischen Augen als besonders kräftezehrend zum reinen Zeitaufwand noch hinzu. Die Nervosität bei den Spähern stieg «und folglich die Überwachung aller ‹Gefährlichen›», schrieb von Hassell im Juli 1943 nieder, nachdem Goerdeler ihn gerade wieder besucht hatte.[192] Carl Goerdeler, der ehemalige Oberbürgermeister von Leipzig, war die treibende Kraft auf der zivilen Seite der Opposition, ein Mann von drängender Energie, unermüdlich Verbindungen knüpfend, «verzweifelt über das Hinunterrollen des Wagens in den Abgrund»[193]. Er erkannte widerwillig an, daß ein Umsturz allein vom Militär ausgehen mußte, und grollte um so mehr, als er keine Anzeichen sah, «daß diejenigen, die die Macht [dazu] hätten, eine Hand rühren»[194].

Das taten sie nun doch, freilich nicht auf der höchstmöglichen Ebene, wie wir gesehen haben, dafür auf der nächsttieferen. Gerade um diese Zeit, im Juli 1943, trat der getarnte Umsturzplan «Walküre» in Kraft.[195] Ursprünglich, im Rußlandwinter 1941/42, war dieses Codewort nach Gesprächen zwischen Halder und Fromm in Gebrauch gekommen. Um die hohen Verluste notdürftig auszugleichen, sollte auf unausgeschöpfte Reserven, etwa im Industriebereich, zurückgegriffen werden. 1943 entstand eine Neufassung des Walküre-Befehls. Jetzt lautete die Absicht, überraschende Bedrohungen oder sonstige Notstände durch raschesten Einsatz der Truppen in sämtlichen 17 Wehrkreisen abzuwehren. Mit solchen Überraschungsfällen waren vornehmlich innere Unruhen gemeint, etwa von seiten der vier Millionen «Fremdarbeiter» und Kriegsgefangenen, die 1942 innerhalb der Reichsgrenzen verteilt waren; eine Zahl, die sich bis 1944 mehr als verdoppelte.[196] Auch die Eventualität feindlicher Luftlandungen war bedacht worden.

Friedrich Fromm

Soweit die «amtliche» Version des von Hitler gebilligten und von Generaloberst Fromm verantworteten Walküre-Plans. Unter diesem Deckmantel trugen Olbricht und Tresckow jedoch ganz anderes im Sinn. Olbricht hatte die geniale Eingebung gehabt, «Walküre» durch regulären, legalen Aufruf von Truppen als Instrument des Staatsstreiches zu benutzen, also zu gegebener Zeit eine «Usurpation auf dem Befehlsweg» einzuleiten.[197] Die herbeieilenden Truppen würden, statt vermeintliche «Unruhen» niederzuschlagen, aufgrund der dann ergehenden Befehle SS-Kasernen, Gestapo-Zentralen, Gauleitungen, KZ-Lager zu besetzen haben. Die neuen amtlichen Walküre-Bestimmungen, zuletzt von Oberst Tresckow anläßlich eines Berlin-Aufenthaltes noch stellenweise verbessert, gingen am letzten Julitag 1943 allen Wehrkreis-Befehlshabern zu.

Bei diesem Konspirieren, der Untergrundarbeit am hellichten Tag, bestand eine Schwierigkeit; sie hieß Fromm. Der Befehlshaber des Ersatzheeres mußte im Entscheidungsfall das Stichwort geben, doch er gehörte nicht zur Opposition. Obwohl kein Parteigänger der «anderen», eher Opportunist, blieb er gerade deshalb in allen Planspielen ein Faktor der Unsicherheit. Man konnte nur hoffen, den Generaloberst in der Stunde X mitzureißen.

So weit war die Entwicklung vorangetrieben, als Stauffenberg im August nach Berlin kam, noch im Genesungsurlaub, um sich zunächst nur zu orientieren, bevor er seinen Dienst antreten würde. In diesen letzten Augusttagen und nach der endgültigen Übersiedlung Mitte September nutzte er vor allem die Anwesenheit Tresckows, um die Planungen für den Staatsstreich zu vervollkommnen. Noch fehlten die notwendigen Aufrufe, die nach gelungenem Attentat ergehen sollten: um die militärischen Schaltstellen wirklich in die Hand zu bekommen, die politischen Machtträger festzunehmen und um proklamatorisch Überzeugungsarbeit zu leisten, damit der Umsturz als national notwendig und nicht als heimtückischer Anschlag gegen «Führer und Volk» erscheine.

Eine Schlüsselrolle wurde hierbei dem von Hitler in den Ruhestand versetzten Feldmarschall von Witzleben zugewiesen, sobald er (zwischen September und Oktober) dafür gewonnen war: Als Oberbefehlshaber der Wehrmacht, in der Funktion Hitlers also, sollte er den Ausnahmezustand verhängen und die vollziehende Gewalt an die Befehlshaber an der Front, in den besetzten Ländern und im Heimatgebiet übertragen. Alle Maßnahmen setzten freilich das Ereignis voraus, mit welchem dieser wichtigste Aufruf begann, Hitlers Tod.[198]

«Ich weiß noch genau, wie ich das erste Mal diesen Befehl getippt habe, der mit den Worten anfing: ‹Der Führer Adolf Hitler ist tot...› Da blieb mir das Herz stehen. Tresckow hat verlangt, daß ich mit Handschuhen schrieb, damit das Dokument nicht identifiziert werden konnte.»[199] So erzählte die fünfundachtzigjährige Margarethe von Hardenberg, nicht lange, bevor sie 1991 starb. Als Tresckows engste Mitarbeiterin hatte sie damals, noch unverheiratet, von Oven geheißen. Als Treffpunkte wurden verschiedene Stellen im Grunewald benutzt, da man Besprechungen in Wohnungen für zu gefährlich hielt. Stauffenberg und Tresckow brachten Stichwortzettel mit, teils schon Ausarbeitungen, die in den Besprechungen zu förmlichen Befehlen umgearbeitet und Fräulein von Oven diktiert wurden. Eines Tages gingen sie zu dritt durch die Trabener Straße am Bahnhof Grunewald, Margarethe von Oven mit den konspirativen Plänen unter dem Arm, als ein Mannschaftswagen der SS mit quietschenden Bremsen vor ihnen hielt und die Schwarzuniformierten heraussprangen. «Selbst die beiden kriegsgewohnten Offiziere waren leichenblaß geworden.» Alle glaubten sich entdeckt und im nächsten Augenblick verhaftet. Himmlers Leute aber stürmten in ein Haus.[200]

Claus Stauffenberg wohnte ohne seine in Bamberg lebende Familie beim Bruder Berthold in der Tristanstraße, im Ortsteil Nikolassee dicht

Tristanstraße 8 in Berlin-Wannsee (Foto um 1988). Hier wohnte Claus von Stauffenberg in den letzten Monaten seines Lebens bei seinem Bruder Berthold

am Wannsee. Hierher zog auch ihr Onkel Nikolaus Graf Uxkull-Gyllenband, Oberstleutnant und eifriger Befürworter des Komplotts. Schon am Krankenbett hatte er den Neffen beschworen, aktiv einzugreifen, und setzte für einen Umsturz große – nahezu einzige – Hoffnungen auf ihn, auch wenn es für die äußere Rettung des Reiches zu spät sei.[201] Hinsichtlich der Aussichten eines Staatsstreiches beschlichen den Hoffnungsträger gelegentlich Zweifel. Als Oberst Ulrich Bürker in Erinnerung an den gescheiterten Hitler-Putsch von 1923, dessen Zeuge er gewesen war, ein Gelingen für wenig wahrscheinlich hielt, bekam er die überraschende Antwort des unbeirrbar Entschlossenen: *Das fürchte ich manchmal auch.* An einem der nächsten Tage sagte er aber zu Bürker, mit Blick auf ein Foto seiner Kinder am Arbeitsplatz: *Für die tue ich das.*[202]

«Das» zu tun, glich der Schwerarbeit des Herakles. Neben der ausfüllenden normalen Tagesbeschäftigung ging es um das Neben- und Ineinander von mindestens drei Aufgabenkomplexen:

• Gleichgesinnte für das Attentat anzuwerben (solche, die Zugang zu Hitler hatten) wie auch zuverlässige Offiziere in Positionen unterzubringen, von denen das Gelingen des Umsturzes nach Auslösen des Codewortes Walküre abhing;

- das komplizierte militärische Organisationsschema durchlässig zu machen für die im Entscheidungsmoment ausgehenden Befehle;
- die Hauptbeteiligten des Widerstandes auf eine einheitliche Linie des Handelns zu verpflichten, wenn schon über das «Danach» keine Eintracht herzustellen war.

Im ersten Fall bediente Stauffenberg sich eines abgestuften Systems von Offenheit und Verschweigen, wie Fritz-Dietlof von der Schulenburg im Gestapo-Verhör offenlegte: «In gewisse Dinge wurden nur ganz wenige Personen eingeweiht, z. B. [die] Sprengstoff-Frage. Ein größerer Kreis wurde in den Attentatsplan eingeweiht, aber auch dieser Kreis war noch sehr klein. Wieder ein etwas weiterer Kreis [wurde] über die Tatsache unterrichtet, daß ein gewaltsames Unternehmen gestartet werden sollte, wobei die Frage offenblieb, inwieweit der Führer ausgeschaltet werden sollte. Endlich der Kreis von Personen, mit denen nur über den Ernst der Lage, katastrophale Verschärfung und Notwendigkeit des militärischen Ausnahmezustandes gesprochen wurde. Nur der wurde unterrichtet, der mit einer Sache unmittelbar zu tun hatte, und nur insoweit, als es erforderlich war.»[203]

War der Koordinator sich der Gesinnung eines Gesprächspartners, an dessen Mitarbeit ihm lag, grundsätzlich sicher, dann konnte er ihn mitunter auch schockartig überfallen: *Gehen wir in medias res, ich betreibe mit allen mir zur Verfügung stehenden Mitteln den Hochverrat.*[204] Auch Axel von dem Bussche wurde sehr direkt angesprochen, nachdem die Grafen Heinrich Lehndorf und Fritz-Dietlof von der Schulenburg ihn zu Stauffenberg vermittelt hatten: *Ende November oder Anfang Dezember wird ein junger Frontoffizier gesucht, der Adolf Hitler bei der Vorführung einer neuen Grenadierausrüstung für die Ostfrontkämpfer in gemeinsamer Planung mit Oberst Stieff tötet.*[205] Bussches Überzeugung, daß Hitler getötet werden müsse, ist schon im Eingangskapitel wiedergegeben; er war es auch, welcher Äußerungen seines Auftraggebers über den Tyrannenmord aufbewahrte.[206]

Beim Attentatsplan hatten die Initiatoren sich auf den Sprengstoff als die sicherste Methode verständigt, das Opfer anderer Anwesender in Kauf nehmend. Hierzu gibt es ein aufschlußreiches Gespräch zwischen Tresckow und seinem Vetter Stahlberg in Saporoschje, bei dem Mansteins Ordonnanz Stahlberg freimütig erzählte, er hätte bei Hitlers dreitägigem Besuch im Februar 1943 mehrmals auf ihn anlegen können. «Warum hast du den Kerl dann nicht totgeschossen?» – «Weil ich nicht der bin, der zu einer solchen Tat die Kraft hat», antwortete Stahlberg – trotz Teilnahme an vielen Angriffen und trotz Sturmabzeichen. Der Ältere gestand, selbst Zweifel zu haben, «so von Mann zu Mann zu schießen und zu treffen»[207], ganz abgesehen von der Ungewißheit über mögliche

Sicherheitsvorkehrungen gegen einen solchen Anschlag. So wurde statt dessen mit Explosivstoff hantiert. «Aber nur wenige mochten ermessen, was es einen Mann wie Tresckow täglich an innerster Kraft kostete, sich zum Attentäter zu schulen» (Eberhard Zeller[208]).

Beim zweiten Thema – der militärischen Spitzenorganisation – hatte Stauffenberg schon früher Unmutsanfälle erlitten. Einen Vortrag im Jahre 1941 vor der Kriegsakademie hatte er mit den Worten eingeleitet, die deutsche Kriegsspitzengliederung sei *noch blöder, als die befähigsten Generalstabsoffiziere sie erfinden könnten,* wenn der Auftrag lautete, die unsinnigste zu ermitteln.[209] Der Zuständigkeitswirrwarr erschwerte einen Umsturz; im gelenkten Chaos der Militär-Polykratie mit e i n e r absoluten Spitze und unendlichen Verzweigungen bestanden konkurrierende Befehlsstränge zum Beispiel zwischen dem Oberkommando der Wehrmacht und dem Befehlshaber des Ersatzheeres.[210] Die Kommandeure der Ersatz- und Ausbildungseinheiten unterstanden sowohl der ersten als auch der zweitgenannten Kommandozentrale, was bei einem von hier gelenkten Umsturz zu Verwirrungen führen mußte. Schließlich beanspruchten auch noch die Gauleiter in ihrer Eigenschaft als «Reichsverteidigungskommissare» das Recht, notfalls auf Truppen zurückgreifen zu können, so daß das Ersatzheer eigentlich d r e i Herren diente.

Am schwierigsten stand es um den Punkt 3. Eine knappe Biographie vermag hier nur anzudeuten. Das Netz des Widerstandes war so verflochten und vielgestaltig, daß Peter Hoffmann, der profundeste Kenner, nicht unter tausend Seiten auskommt.

Schon über den Weg hin zu einem neuen und anderen Deutschland – noch v o r der Verständigung über seine Formen und Inhalte – bestand keinerlei Einigkeit. Goerdeler, ziviles Haupt der Verschwörung und designierter Reichskanzler, ging dabei, wie von Hassell im November 1943 beklagte, immer noch von einem Sturz Hitlers ohne Attentat aus. «Ich bekämpfe diese Ansicht», vermerkt der realistischere Diplomat.[211] Mühsam mußte Goerdeler ausgeredet werden, zu Hitler zu gehen und mit ihm zu sprechen. Auch der tief religiöse Moltke, neben Yorck Mittelpunktfigur des Kreisauer Kreises, war im Herzensgrund gegen ein Attentat und zeigte sich noch im Angesicht des Todes erleichtert, daß er durch die Verhaftung im Januar 1944 «rausgenommen» worden sei, «damit ich frei von jedem Zusammenhang mit der Gewaltanwendung bin und bleibe»[212].

Zu den sachlichen Differenzen allein schon über die Methode des Umsturzes traten solche, die in den Gegensätzen der Charaktere begründet lagen. Stauffenberg fand keinen Zugang zu Moltke in seinem ebenso selbstbewußten Auftreten. Zwei in gleicher Weise souveräne Persönlichkeiten – sogar der tobende Freisler nahm Moltke ernst – vermochten ihre gesammelten Kräfte nicht harmonisch zu vereinen. Der Oberstleutnant verließ einmal die Yorcksche Wohnung in der Hortensienstraße 50 in Lichterfelde, einen der zivilen Haupttreffpunkte, um draußen im Wagen

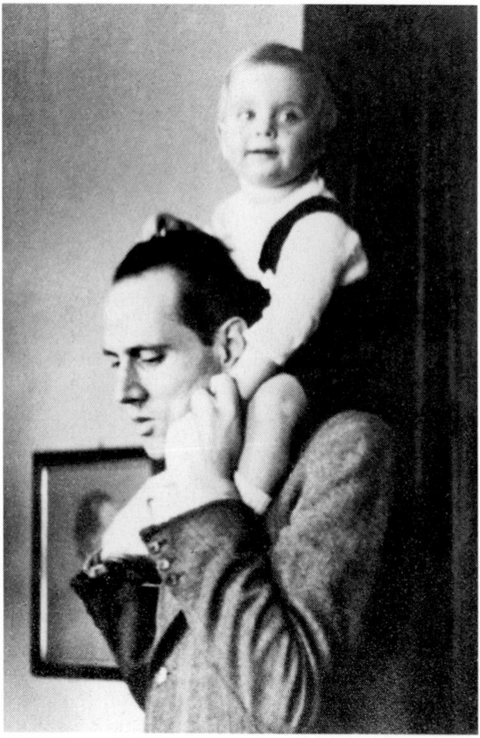

Helmuth James
Graf von Moltke
mit seinem älteren
Sohn Caspar

zu seufzen: *Kann diesen Menschen nicht ertragen, diesen Helmuth Moltke.*[213] Moltke indes schrieb am letzten Jahrestag 1943 über Stauffenberg an seine Frau: «Ein guter Mann», und hielt ihn für «männlicher» und charaktervoller als dessen Bruder Berthold.[214] Auch wenn Moltke relativ unbefangener blieb, urteilte die Gräfin Yorck dennoch: «Moltke und Claus Stauffenberg konnten's nicht gut miteinander.»[215]

Ebensowenig harmonisch war Stauffenbergs Verhältnis zu dem neunundfünfzigjährigen Goerdeler. Nicht allein der Neuankömmling im Berliner Kreis der Verschwörer sorgte sich um Goerdelers unvorsichtiges Verhalten. Es rührte aus dessen Unvermögen, konspiratorisch zu denken, eine Folge wiederum seiner «gewaltscheuen Illusionen»[216]. Der frühere Leipziger Kommunalpolitiker wollte außerdem Politisches und Militärisches getrennt behandelt sehen, wünschte den unpolitischen Offizier Seecktscher Prägung.[217] Der Nachkomme Gneisenaus dachte aber nicht daran, diesem Bilde zu entsprechen und sich zum bloßen militärischen Vollstrecker der politischen Ziele anderer drücken zu lassen. Er

Julius Leber mit seiner Frau Annedore

verlangte uneingeschränkt Einsicht in alle Pläne und die Mitwirkung daran.

Doch sprach Wichtigeres mit als dies, wenn er für das Amt des Kanzlers Julius Leber bevorzugte. Der «Kohlenhändler von Schöneberg», wie er jetzt genannt wurde[218], der sozialdemokratische Wehrfachmann des früheren Reichstages, der Sozialist aus dem Elsaß stand seinem sozialen Gewissen näher als der konservative Kommunalpolitiker aus Posen. Stauffenbergs Vorstellungen von einem ethischen Sozialismus im Einklang mit seinen «gräflichen Überlieferungen» (Annedore Leber[219]) ließen ihn fortschrittlicher denken, als Goerdelers eigenes Weltbild es zuließ.

Hier geraten wir bereits auf das unübersichtliche Terrain der politischen Zukunftsentwürfe, von denen nur Vorläufiges formuliert worden war, innen- und außenpolitisch.[220] Die Vorstellungen unter den Hauptbeteiligten klafften auseinander. Einig waren sich alle nur über das Nahziel, dem jetzigen Regime so oder so ein Ende zu bereiten – darin ganz ähnlich dem alliierten Lager, wo man die offensichtlichen Gegensätze vorerst dem gemeinsamen Ziel unterordnete. Die Mehrheit im Widerstand führte ihre Hinwendung zur Opposition gegen das Regime auf die Verbrechen an den Juden zurück; zu nennen hier nur Canaris, Dohnányi, Goerdeler, Leber, Lehndorff, Moltke, Oster, Berthold Stauffenberg, Yorck. Bezeichnend spricht der Gestapo-Chef Kaltenbrunner in seinen Verhör-Berichten an Hitlers Sekretariatsleiter Bormann gerade in diesem Zusammenhang von der «ganze[n] innere[n] Fremdheit, die die Männer des reaktionären Verschwörerkreises gegenüber den Ideen des Nationalsozialismus kennzeichnete»[221].

Jenseits des großen bindenden Protests rissen die Gegensätze auf. Die Kreisauer wünschten aus den schlechten Erfahrungen mit dem Weimarer Vielparteienstaat keine Rückkehr dorthin, worin Goerdeler mit ihnen übereinstimmte, doch dachten sie sozial aufgeschlossener als er. Leber hingegen, ein pragmatischer «rechter» Sozialdemokrat, wollte durchaus die parlamentarische Demokratie, doch eine reformierte. Den Männern um Moltke, den Theoretikern der Zukunftsgesellschaft, galt Leber typischerweise als «doch sehr einseitig im Praktischen»[222]. Das Zupackende an ihm gefiel und imponierte gerade dem tatkräftigen Stauffenberg, wie er überhaupt niemanden im zivilen Bereich so schätzte und verehrte wie den (fast auf den Tag) sechzehn Jahre Älteren. Julius Leber war der einzige Name aus dem ganzen Umfeld, den Nina zu Hause von ihrem Mann erfuhr.[223]

Dessen eigene politische Vorstellungen dieser Zeit sind nicht auf den Begriff zu bringen, worin wohl alle Betrachter übereinstimmen. «Was ich immer wieder versuche, verständlich zu machen», so die Witwe im Gespräch eingangs der siebziger Jahre, «ist, daß mein Mann nicht in weltanschaulich vorgesteckten Bahnen dachte, sondern ein ‹denkender Mensch› war. Er paßt nicht in vorgefertigte ‹Schachteln› und ‹Systeme›. Es ging ihm um die Ehre von Volk und Vaterland. Wenn er da auf Resonanz stieß, wie bei Leber, waren ihm die Hintergründe gleich. Die persönliche Ehre und Integrität waren ihm maßgebend.»[224] Mit seinem Bruder Berthold wollte er politisch weder zur Monarchie zurück noch zum Weimarer Parteienstaat. Die elitären Vorstellungen beider wurzelten in einem Adel der Gesinnung, zu der der Adel der Geburt zusätzlich verpflichtete. Bei ständischem und paternalistischem Denken war mindestens der Jüngere parteipolitisch heimatlos[225] und sehr sozial orientiert. Im Bewußtsein überkommener Werte dachte er politisch fortschrittlich. Zu Jakob Kaiser: *Herr Kaiser, es darf aber nicht zu einer Restauration kommen.*[226]

Waren über die innenpolitischen Ziele gemeinsame Ansichten nicht zu erreichen, so verschwammen die außenpolitischen vollends im Nebel der Ungewißheiten. Carl Friedrich Goerdeler hielt in politischem Romantizismus am Erhalt Großdeutschlands fest, noch dazu in den Grenzen von 1914 im Osten, ja, mit dem Zugewinn Südtirols. Der nüchterne Stra-

Carl Friedrich
Goerdeler

tege Beck, zunächst als Staatsoberhaupt vorgesehen, konnte die bevorstehende militärische Niederlage nicht anzweifeln, war aber politisch im Grunde ahnungslos und folgte hier dem Kurs Goerdelers.[227] Selbst Stauffenberg klammerte sich an manche außenpolitische Utopien, sofern die anonyme Ausarbeitung, die er in den Wirren des 20. Juli im Dienstgebäude verlor, seine Ansichten enthält. «Nach einem Regimewechsel», so heißt es darüber in der Wiedergabe der Gestapo, «sei es das wichtigste Ziel, daß Deutschland noch einen im Spiel der Kräfte einsetzbaren Machtfaktor darstelle und daß insbesondere die Wehrmacht in der Hand ihrer Führer ein verwendbares Instrument bleibe... In Ausnutzung der Gegensätze im feindlichen Lager bestünden verschiedene politische Möglichkeiten.»[228]

Auch sein weltläufiger außenpolitischer Berater Adam von Trott zu Solz, Legationsrat im Auswärtigen Amt, hatte ihm diese Sichtweise nicht ausreden können, weil er selbst in Illusionen befangen war, in dem Sinne: England könne kein Interesse daran haben, daß Deutschland zu sehr geschwächt werde und die Sowjetunion zu weit vordringe. Diese verbreitete Auffassung deutet darauf, daß Englands Einfluß in der Widerstandsbewegung überschätzt und daß nicht erkannt wurde, wie weit die weltpolitischen Gewichte schon von London nach Washington verlagert waren.[229]

Faßt man all dies zusammen, innen- und außenpolitisch, so konnten die Leitgedanken vieler geheimer Sitzungen, etlicher Memoranden nicht unbedingt als Vorbild für die zweite deutsche Republik dienen. Auch hantierten die Verschwörer mit einem illusionären Reichs- und Raumbestand. Doch darauf kommt es nicht an. Die Schwächen der zeitbedingten Bewußtseinslage treten zurück hinter die Stärke der moralischen Impulse. Nur das zählt. Was der damalige Staat, was ein Großteil der Mitläufer und Verführten an moralischer Substanz verloren hatte, verdichtete sich in einer Elite entschlossener Charaktere. Das Konzentrat jener Gesinnung wäre der Stolz jeder Nation.

Tresckows großes Wort

Am 26. Mai 1944 empfing Goerdeler von Stauffenberg das «Ehrenwort zu einem gemeinsamen Gewaltakt gegen den Führer». So steht es in dem von Freisler unterzeichneten Todesurteil gegen den Hauptmann Hermann Kaiser.[230] Indem der Reichskanzler in spe das Ehrenwort annahm, mußte er sich eingestehen, daß ein «Gewaltakt» ein Attentat einschloß – das er nicht wünschte, das jedoch für seinen Mitkämpfer den Umsturz eröffnen sollte. Konnte Stauffenberg sich aber so bindend verbürgen ohne Zugang zum Diktator?

Der Zugang stand in Aussicht. Der Oberstleutnant sollte als «Chef» (wie im preußisch-deutschen Heer der z w e i t e Mann, der Stabschef, leger bezeichnet wurde) von Olbricht zu Fromm wechseln, aus der Abteilung Allgemeines Heeresamt direkt zum Befehlshaber des Ersatzheeres. Folgt man den Erinnerungen von Albert Speer, so kam der Anstoß dafür von Hitlers Wehrmacht-Adjutant Generalleutnant Schmundt, der den «müde gewordenen Fromm zu aktivieren» gedachte.[231] Mitte Mai war die Versetzung entschieden.[232] Von da an muß Stauffenberg sich darüber klargeworden sein, daß er die mit seinem neuen Amt verbundene Verpflichtung, dem Führer in Abständen vorzutragen, dazu nutzen müßte, das Attentat selbst auszuführen, trotz seiner Aufgaben beim Umsturz in Berlin. Denn schon einen Tag vor dem Versprechen an Goerdeler nahm er aus den Händen des Syndikus und Oberleutnants Albrecht von Hagen Sprengstoff entgegen mit den Worten: *Ich habe einen Anschlag auf den Führer und seine nähere Umgebung vor. Dies ist nötig, weil sonst der Krieg bestimmt verloren geht.*[233]

Solche Äußerungen sind für 1944 häufig belegt. Vom Januar bewahrte

Peter Sauerbruch den Ausruf: *Es ist furchtbar, mit offenen Augen uns einer Katastrophe entgegentreiben zu sehen.* Stauffenberg fügte hinzu, auf die vielerwähnten «Vergeltungswaffen» angesprochen: Solch Vergeltungsschlag gleiche innerhalb der Gesamtkriegslage *einer Attacke eines Kürassierregiments [...], das in aussichtsloser Lage versucht, noch einmal die bereits entschiedene Schlacht zu wenden*[234]. Major Roland von Hößlin zitierte vor der Gestapo seinen bereits hingerichteten Gesinnungsfreund mit dem erdrückenden Hinweis, daß die Stärke des Feldheeres sich monatlich um ein Armeekorps vermindere, ohne Aussicht auf Ersatz; die Wehrmacht treibe auf einen militärischen Zusammenbruch hin.[235] Selbst Stauffenbergs Anklammern an eine erträgliche politische Verhandlungslösung, wie sie ihm vorschwebte, erlitt Schwächemomente: *In uns wird niemand mehr einen Verhandlungspartner sehen,* hörte Sauerbruch aus seinem Munde.[236]

Mit dem bevorstehenden Wechsel Stauffenbergs auf den neuen Posten erfaßte die Eingeweihten dennoch Hoffnung nach der Kette von Rückschlägen und Mißerfolgen. Hatte Hermann Kaiser früher ironisch-enttäuscht notiert, «Der eine will handeln, wenn er Befehl erhält, der andere befehlen, wenn gehandelt wird»[237], so stand jetzt einer auf, der sich selbst befahl zu handeln – und danach auf die Befehle vertraute, die die anderen zum Handeln mitreißen würden.

Doch am 6. Juni eröffneten die Westalliierten die Invasionsfront in der Normandie, womit der Zusammenbruch des Dritten Reiches selbst in den Augen der Optimisten ein Stück näherrückte, die Aussicht, durch einen Umsturz noch etwas zu retten, sich weiter verringerte. Folgerichtig ließ Stauffenberg bei Tresckow, der für ihn ganz offenkundig die höchste moralische Autorität im Widerstand verkörperte, durch Heinrich Graf Lehndorff anfragen, ob es noch Sinn habe, an den Plänen festzuhalten. Die Antwort gehört zu den denkwürdigen Zeugnissen des «anderen Deutschland»: «Das Attentat muß erfolgen, coûte que coûte. Sollte es nicht gelingen, so muß trotzdem in Berlin gehandelt werden. Denn es kommt nicht mehr auf den praktischen Zweck an, sondern darauf, daß die deutsche Widerstandsbewegung vor der Welt und vor der Geschichte den entscheidenden Wurf gewagt hat. Alles andere ist daneben gleichgültig.»[238]

Margarethe von Hardenberg erinnerte sich, daß Tresckow ihr gegenüber das gleiche, nur mit anderen Worten, gesagt hat: «Wir müssen es tun, auch wenn es mißlingt, denn es darf nicht einmal heißen, es ist niemand gegen das Unrecht aufgestanden.»[239] Vergleichbare Äußerungen gibt es auch sonst, so bei Beck: Die Erhebung könne vor der Welt noch einen anderen deutschen Willen bekunden; bei von Hassell: Schon aus sittlichen Gründen sei sie für die deutsche Zukunft erforderlich; bei Fritz-Dietlof von der Schulenburg: Es müsse geschehen, das seien die Beteiligten dem Land, der Geschichte, dem Recht und dem Gesetz schuldig; bei

6. Juni 1944: Landung alliierter Truppen (hier: Einheiten der U.S. Army) in der Normandie

Mertz von Quirnheim: «[...] dennoch müssen wir handeln um Deutschlands und des Abendlandes willen»[240].

Stauffenberg reiht sich mit sinngleichen Äußerungen unter diejenigen, die die Tat um ihrer selbst willen über jeden Gedanken an den Erfolg stellten, wobei sie den Erfolg erh o f f t e n. Im Gespräch mit Rudolf Fahrner Anfang Juli 1944: Es gehe um ein Gebot der inneren Reinigung und um ein Gebot der Ehre.[241] Zu dem Freund aus dem George-Kreis, dem Bildhauer Ludwig Thormaehlen: *Ludwig, wenn das, was im Gang ist, [...] so weiter geht, kann niemand von uns mehr leben, und dann ist auch Familie sinnlos, ist Familie nicht mehr möglich, gibt es sie nicht mehr.*[242] Aber er gab sich keinem Zweifel darüber hin, daß die zwingende moralische Tat zugleich eine moralische Gefährdung war: *Es ist Zeit, daß jetzt etwas getan wird. Derjenige allerdings, der etwas zu tun wagt, muß sich bewußt sein, daß er wohl als Verräter in die deutsche Geschichte eingehen wird. Unterläßt er jedoch die Tat, dann wäre er ein Verräter vor seinem eigenen Gewissen.*[243]

Solange die Diktatur triumphierte, behielt er mit der Ahnung vom Stigma des Verräters recht, nicht selten auch später noch. «Armes Verräterkind» hörte mancher Junge, manches Mädchen aus den Familien der Verschwörer noch nach dem Krieg.[244] Doch das Ausmaß der Niederlage und der zutage tretenden Verbrechen verhinderte eine zweite Dolchstoßlegende. Die Geschichte, sonst durchaus nicht immer gerecht, hat diese «Verräter» freigesprochen, ja, ihnen das Ehrenhafte und Selbstlose ihrer Tat im Bewußtsein der Nachwelt zuerkannt.

Einen Tag nach Invasionsbeginn, am 7. Juni, nahm Stauffenberg zum erstenmal an einer Führerbesprechung (auf dem Obersalzberg) teil, obwohl er den neuen Stabsposten bei Fromm noch nicht angetreten hatte. Hitler richtete wiederholt seine prüfende Aufmerksamkeit auf den Neuling, so erfuhr Nina hinterher von ihrem Mann; ebenso, daß dieser die ganze anwesende Spitzengarde als psychopathisch empfunden habe: Hitler mit Augen wie hinter Schleiern, hinter einem Vorhang, Himmler, Keitel, Göring (geschminkt!). Einzig Speer habe einen normalen Eindruck gemacht.[245] Das Wichtigste für den genau und scharf beobachtenden Stabsoffizier, zum eigenen Erstaunen: *daß man in unmittelbarer Nähe des Führers recht zwanglose Bewegungsmöglichkeiten*[246] besaß.

Die nächste Gelegenheit, an den Diktator heranzukommen, ergab sich erst einen Monat später, am 6. Juli. Graf Stauffenberg war seit dem Monatsbeginn auf seinem neuen Posten amtlich bestätigt, unter Beförderung zum Oberst. Der neuerliche Dienstbesuch, wieder auf dem Obersalzberg, stand unter stärksten äußeren, militärischen Belastungen, aber auch inneren, politischen. Seit dem 22. Juni, dem dritten Jahrestag des deutschen Überfalls auf die Sowjetunion, zertrümmerte eine Großoffensive der Roten Armee die deutsche Heeresgruppe Mitte. Das Fiasko, ein vergrößertes Stalingrad, drang aber nicht vergleichbar ins allgemeine Bewußtsein, weil die Aufmerksamkeit sich auf die Invasionsfront im

Der Berghof, Hitlers Landsitz auf dem Obersalzberg nahe Berchtesgaden

Westen richtete. Tresckow, seit November 1943 Stabschef der 2. Armee, wurde in den Zusammenbruch mit hineingerissen und fiel als eine der Schlüsselfiguren der Verschwörung jetzt praktisch aus. «Während sie einerseits den Staatsstreich vorbereiteten», so Margarethe von Hardenberg im Gespräch, «mußten sie andererseits ihre Armeen einigermaßen heil durch die Gegend führen – das vereinen Sie mal!»[247] Am 5. Juli war außerdem Julius Leber verhaftet worden, zusammen mit Adolf Reichwein aus dem Kreisauer Kreis. Zu Adam von Trott hatte Stauffenberg erregt gesagt, er werde Leber herausholen; sie brauchten ihn.[248] Über dem Komplott lastete nicht zuletzt der atmosphärische Druck: Da nicht jeder Mitwisser die Nervenanspannung ertrug, liefen in Berlin bereits Putschgerüchte um.[249]

Auf dem «Berghof» hielt Stauffenberg an jenem 6. Juli Vortrag über die «Walküre»-Maßnahmen, wobei Hitler zustimmte, daß im Auslösungsfall allein die Militärbefehlshaber die vollziehende Gewalt ausüben sollten, keine zivilen Machtträger. Eine abgründige Szene bei äußerer Unverfänglichkeit: Der Diktator räumte dem Verschwörer ein paar Hindernisse für den Staatsstreich aus dem Weg... Albert Speer behielt in Erinnerung, daß der Oberst mit einer «auffallend dicken Aktentasche» neben ihm Platz genommen hatte.[250] Über den Inhalt erfuhr Genaueres nur Generalmajor Stieff. *Ich habe das ganze Zeug mit.*[251] Ob ein Anschlag für diesen Tag ernstlich erwogen wurde und warum er unterblieb, ist nicht klar ersichtlich.

Doch schon fünf Tage später bot sich eine erneute Gelegenheit, und hier war der Anschlag geplant, nur: Der Attentäter zögerte, weil Himmler und Göring fehlten. Himmler war gefährlich, ohne eine Spur von Popularität, Göring populär, ohne noch eine Spur von Gefährlichkeit, lediglich ein morphiumsüchtiger Prasser, in der unbequemen Wirklichkeit längst nicht mehr zu Hause. Aber trotz völligen Versagens besaß er noch Anhang. Man wollte verhindern, daß der seit Kriegsbeginn designierte Nachfolger Hitlers die Schalthebel der zentralen Macht bedienen könnte. Deshalb wurde für richtig gehalten, auch den Reichsmarschall zu beseitigen. Nun aber fehlten beide. *Herrgott, soll man nicht doch handeln?*[252] Die drängende Frage wird Stieff kaum ermutigend beantwortet haben; einmal, weil die Troika nicht beisammen war, zum anderen, weil er als *ein nervöser Rennreitertyp*[253] vor der Entscheidung eher zurückschreckte. *Es ist nichts passiert*[254], vernahm der engvertraute Begleiter Hauptmann Klausing aus Olbrichts Stab als abschließende Bemerkung zu diesem unausgeführten Versuch.

15. Juli 1944. Ein einziges Foto ist überliefert, das den Mann des Widerstands und Hitler gemeinsam zeigt. Doch eigentlich dramatisch ist das Unsichtbare. Der da in gestraffter Haltung die übrigen überragt, sucht an diesem Tag erneut eine Gelegenheit, Deutschlands Schicksal durch einen Anschlag zu wenden. Dabei hat er sich zudem noch blitzschnell auf eine

In der «Wolfsschanze», 15. Juli 1944 (von links): Stauffenberg, Konteradmiral von Puttkamer, General Bodenschatz, Hitler, Generalfeldmarschall Keitel (mit Mappe). Foto von Heinrich Hoffmann

unvertraute Umgebung einzustellen. Erst am Vortag war Hitler ins ostpreußische Hauptquartier «Wolfsschanze» zurückgekehrt. Der ganze Stab mit ihm ist wieder im «freiwilligen KZ»[255]. Bezogen auf die drei- und vierfachen Sperrkreise und auf die Fron am Kartentisch, ist dieser Vergleich des entmündigten Führungsgehilfen Alfred Jodl passend.

Diesmal machte die Verschwörergruppe Ernst. In Berlin ordneten Olbricht und sein neuer Stabschef Mertz von Quirnheim (während Fromm mit nach Ostpreußen geflogen war) «Walküre»-Bereitschaft an, zwei Stunden, ehe ein Anschlag in der Wolfsschanze überhaupt möglich war.[256] Man hatte also zu handeln beschlossen, unabhängig von der An- oder Abwesenheit des – nächst Hitler – am meisten gefürchteten Gegenspielers. Tatsächlich fehlte Himmler erneut. Warum *das ganze Zeug* diesmal ungezündet blieb, ist strittig. «Mein Bruder hat mir gesagt», so Berthold im Verhör, «daß plötzlich eine Besprechung angesetzt worden sei, bei der er selbst habe vortragen müssen, so daß er keine Möglichkeit gehabt habe, das Attentat zu verüben.»[257]

Daneben spukt die Version, Stieff habe Stauffenbergs Mappe mit dem Sprengstoff während dessen zeitweiliger Abwesenheit «entwendet»; so habe der verhinderte Attentäter es hinterher Beck berichtet, was dieser wiederum an Gisevius weitergab.[258] *Es ist heute wieder nichts geworden.*[259] Nur dieser Tatbestand ist gesichert, und damit blieb Olbricht die heikle Aufgabe, «Walküre» abzublasen. Kaltblütig erklärte er den Kommandeuren, deren marschbereite Truppen er besichtigte, es handele sich um eine Übung, und zeigte sich zufrieden, wie gut alles funktioniert habe...[260] Auch dem erstaunten Fromm gegenüber mußte die Eigenmächtigkeit plausibel gemacht werden – das geringere Übel, denn der Generaloberst duldete stillschweigend die Umsturzvorbereitungen, die sein neuer Stabschef ihm nicht verheimlicht hatte. Allgemein als Opportunist eingeschätzt, konnte Fromm, sich immer bedeckt haltend, die hochverräterischsten Offenlegungen anhören, um darauf zu antworten: «Das war sehr interessant. Also dann Heil Hitler!»[261]

An diesem selben 15. Juli verließ ein Fernschreiben an Hitler Rommels Hauptquartier an der Invasionsfront, worin der Feldmarschall auf die katastrophale Entwicklung verwies; «der ungleiche Kampf» neige sich dem Ende entgegen. «Ich muß Sie bitten, die Folgerungen aus dieser Lage unverzüglich zu ziehen.»[262] Zwei Tage danach wurde Rommel durch Tiefflieger schwer verwundet. Die Widerstandsbewegung verlor unter den Frontbefehlshabern den einzigen, auf den sie fest hatte hoffen können. Der ergebene Hitler-Soldat von früher, der höchstdekorierte Bilderbuch-Held der Nation, lehnte zwar ein Attentat ab, wollte aber, nachdem er unlängst durch Stauffenbergs Vetter Cäsar von Hofacker in die Umsturzpläne eingeweiht worden war, «lieber heute als morgen losschlagen»[263], was für ihn an der Front zunächst bedeutet hätte: eine Kapitulation im Westen einzuleiten. Dies alles entfiel nun; dieser Rückschlag war besonders schwer.

Erwin Rommel

Dazu kam, daß Kriminaldirektor Nebe im Reichssicherheitshauptamt unterderhand wissen ließ, daß gegen Goerdeler Haftbefehl ergehe. Schließlich: In der Hauptstadt liefen Gerüchte um, das Führerhauptquartier werde noch diese Woche in die Luft fliegen. Korvettenkapitän Kranzfelder, einer der ganz wenigen Verbündeten in der Seekriegsleitung, eilte zu Stauffenberg, ihn zu warnen, wobei er ihn fragte, ob der Anschlag angesichts der militärischen Lage noch sinnvoll sei. Der Oberst habe geantwortet: *Da gibt es keine Wahl mehr. Der Rubikon ist überschritten.*[264]

Um den Tatentschluß umzusetzen, mußte der nächste Ruf ins Hauptquartier abgewartet werden. Der erging schon am 18. Juli, Dienstag, für den Donnerstag. Stauffenberg sollte abermals Vortrag halten über so bezeichnete Sperrdivisionen, die das Ersatzheer für die Verteidigung der bedrängten mittleren Ostfront bereitstellen sollte.

Die Chancen für das Gelingen schätzte er ganz allgemein «fifty-fifty» ein, wie seine Frau erinnert.[265] Zweifelnder hatte sich Henning von Tresckow zum Vetter Stahlberg geäußert:

«‹Mit der größten Wahrscheinlichkeit wird alles schiefgehen.›

‹Und trotzdem?›

‹Ja, trotzdem.›»[266]

Umsturzversuch

Sogar die Geheime Staatspolizei, die sich das Bild vom Attentäter nachträglich aus Hunderten Mosaiksteinchen der Verhöraussagen zusammensetzte, gestand zu, er habe in faszinierender Weise für sich einzunehmen vermocht.[267] Seine Anziehungskraft lag sicher mit in dem seltenen Mischungsverhältnis, das Albert Speer beschrieb als «eigentümlich poetisch und präzise zugleich, von zwei scheinbar unvereinbaren Bildungserlebnissen geprägt: George-Kreis und Generalstab»[268]. Wie er zwischen diesen Bereichen zwanglos wechselte, bestätigen Eindrücke Rudolf Fahrners noch von der Monatswende Juni/Juli 1944. «Claus war in jenen Tagen auf dem Untergrunde großen Ernstes sehr heiter und trotz größter Inanspruchnahme geistig ganz frei, sprühend und ergiebig. [...] Vor, nach, zwischen Beratungen, Besuchen, Telefongesprächen, Befehlen, Planungen – immer war er wie unbemüht, ganz gegenwärtig offen und antwortreich auf geistige Fragen, aufnahmefähig für Berichte von geistiger Tätigkeit und ratskräftig daran teilnehmend.»[269]

Dabei fand sein Onkel Nikolaus Uxkull unglaublich, wie er die ungeheuren Anstrengungen aushielt. Zu seiner Tochter Olga: «Er kommt nach Hause und bringt es fertig, nach einem minutenlangen Schlaf wieder ganz taufrisch zu sein.»[270] Doch Ferdinand Sauerbruch, in dessen Haus im Grunewald sich oppositionelle Militärs und Politiker unverfänglich trafen, bemerkte mit dem Blick des Mediziners doch die Folgen der Daueranspannung (die auch der langjährige Freund Fahrner wahrnahm) und warnte ihn, daß sein körperlicher Zustand und seine Nerven für seine Absichten zu schlecht seien.[271] Das einzige allerdings, was am 20. Juli funktionierte, waren die Nerven des Attentäters, der in eiserner Beherrschung imstande war, zum viertenmal hintereinander mit dem Sprengstoff in der Aktentasche ins Befehlszentrum zu fahren.

Unter den Nächststehenden im privaten und politischen Umkreis wußte einzig Nina von alledem nichts. Sie im unklaren zu lassen, gehörte zu seiner Strategie; Unwissenheit konnte beim Mißlingen rettend sein, denn das wichtigste war, «daß einer von uns den Kindern erhalten bliebe»[272]. Der Vater von vier Kindern, postum fünf, mit seinem in den Kriegsjahren ohnehin äußerst reduzierten Familienleben besitzt für uns als Privatmensch so gut wie keine Kontur. Ganz besonders bedauerlich, daß er durch keine einzige Briefzeile der letzten Jahre mehr zu beleuchten ist. Die Briefe an seine Frau, wie auch ihre an ihn, sind nach dem 20. Juli beschlagnahmt worden und verschollen.[273] Wenn der Generalstabsoffizier einmal nichtdienstlich sichtbar wird, dann immer noch im Zusammenhang mit seinem Auftrag, seiner Tat. So ließ er am 19. Juli auf der Heimfahrt vor einer Kirche in Steglitz halten und ging zu kurzer Andacht hinein. «Gerade zum Ende seines Lebens», so die Witwe, «trat der christliche Zug stärker hervor»[274] – gewiß eher aus anerzogener Treue zur Tradition als im Vertrauen auf die verjüngende Kraft des Christentums. Seine Hoffnung auf Erneuerung speiste sich bis zuletzt mehr aus der geistigen Welt Georges.

Von daher ist der «Schwur» zu verstehen, der auf feierliche Weise die letzten gemeinsamen Stunden der Brüder Claus und Berthold in der Tristanstraße ausfüllte, ganz im Bewußtsein der großen Entscheidung. Nach Aussagen des überlebenden Bruders Alexander ist der «Schwur» weitgehend von Claus entworfen worden.[275] Auch wenn Gedanken und Formulierungen von Berthold und von Rudolf Fahrner in die Formulierungen eingeflossen sein dürften (die von Bertholds verschwiegener Sekretärin Maria Appel auf der Maschine getippt wurden), ist es wohl gerechtfertigt, das Bekenntnis unter Claus Stauffenbergs Selbstzeugnisse zu zählen. Hier ein Auszug aus dem «Schwur» oder «Eid»:

Wir wollen eine neue Ordnung, die alle Deutsche zu Trägern des Staates macht und ihnen Recht und Gerechtigkeit verbürgt, verachten aber die Gleichheitslüge und beugen uns vor den naturgegebenen Rängen. Wir wollen ein Volk, das in der Erde der Heimat verwurzelt, den natürlichen Mächten nahe bleibt, das im Wirken in den gegebenen Lebenskreisen sein Glück und sein Genüge findet und in freiem Stolze die niederen Triebe des Neides und der Mißgunst überwindet. Wir wollen Führende, die, aus allen Schichten des Volkes wachsend, verbunden den göttlichen Mächten, durch großen Sinn, Zucht und Opfer den anderen vorangehen. […] Wir geloben untadelig zu leben, in Gehorsam zu dienen, unverbrüchlich zu schweigen und füreinander einzustehen.[276]

Georges Elitegedanke ist hier eingebunden in die Überzeugung, daß Elite keine Geburts- und Standessache sei, da ja die Führenden *aus allen Schichten des Volkes* kommen sollten. Abzulesen ist aber ebenso an der *Gleichheitslüge,* daß die Demokratie westlichen Zuschnitts, die im Weimarer Staat gescheitert war, dem politischen Denken der Brüder keinen Anreiz bot. Hier blieben sie in weltanschaulichen Bahnen eines deutschen Sonderweges, in welchem Größe und Verhängnis eng benachbart sind.

Das Attentat im Hauptquartier

Am 20. Juli 1944[277] um acht Uhr morgens startet eine Kuriermaschine mit Oberst Stauffenberg und Oberleutnant von Haeften, seiner Ordonnanz, in Rangsdorf südlich von Berlin. Die Tasche mit dem Sprengstoff – zwei Pakete zu je etwa tausend Gramm – trägt der Reserveoffizier, der dem Vorgesetzten unbedingt ergeben ist. Nach der Ankunft um 10.15 Uhr in Rastenburg und der Fahrt im Wagen zur Wolfsschanze, sechs Kilometer entfernt, frühstückt der Oberst im Freien mit Stabsoffizieren der Kommandantur, darunter der Adjutant Rittmeister von Möllendorf. Es folgen Besprechungen über das Thema, das seine Anwesenheit erfordert: Sperrdivisionen. Ein Ordonnanzoffizier trägt seine Tasche; da sie nur Vortragsunterlagen enthält, überläßt er sie hilfreichen Händen.

Im Lauf des Vormittags erfährt er, daß die «Mittagslage» um eine halbe Stunde auf halb eins vorverlegt ist, weil Mussolini am Frühnachmittag erwartet wird. Himmler und Göring fehlen abermals. Kurz vor halb eins trifft Generalleutnant Heusinger mit dem Triebwagen aus dem Heereshauptquartier «Mauerwald» ein, ebenfalls zum Vortrag. Der Chef der Operationsabteilung im Heeres-Generalstab gilt als hochbefähigter Stratege. Der Widerstandsbewegung hat er sich versagt, aber er ist auch keiner der Gegenseite. Ihn und weitere Neutrale, Unbeteiligte, Nichtgegner

Werner von Haeften

mitopfern zu müssen, gehört bei diesem Versuch, wie zuvor bei den nicht ausgeführten Anschlagsplänen, zu den schmerzlichsten Gewißheiten einer Schuld. Moralisch unbeschädigt ist aus der tödlichen Angelegenheit nicht herauszukommen, für den zum Überleben verpflichteten Attentäter so wenig wie für die Mitwissenden; aber Unterlassen wiegt noch schwerer. Vorwärtstreibend ist bei allen Beteiligten «eine sehr viel höher gesehene, das Einzellos überwiegende Notwendigkeit»[278].

Da Fromms Stabschef im Unterschied zum 15. Juli von vornherein weiß, daß er heute in dessen Abwesenheit selbst vorzutragen hat, nur nicht als erster, kann er Hitlers – stets pünktliches – Erscheinen abwarten, um dann den Mechanismus auszulösen. Unter dem Vorwand, das Hemd wechseln zu wollen (der 20. Juli ist ein heißer Tag), zieht er sich mit Haeften in einen Aufenthaltsraum zurück. Ein Ersatzhemd als Alibi ist dabei, aber beide haben jetzt Wichtigeres zu tun. Mit einer Flachzange wird der Hals des englischen «Bleistiftzünders» eingedrückt, so daß eine Ampulle zerbricht. Deren Säure beginnt einen Draht zu zersetzen, der einen Schlagbolzen hält. Zeitdauer: zehn bis fünfzehn Minuten. Es gibt kein Zurück.

Die beiden Offiziere verstauen das Sprengstoffpaket in Stauffenbergs Mappe. In diesem Augenblick stößt der Oberfeldwebel Vogel die Tür auf und dem Stabschef in den Rücken, nur um zu melden, daß der Herr General Fellgiebel den Herrn Oberst bitte, noch einmal bei ihm anzurufen. Von draußen hört man die Stimme des Keitel-Adjutanten Major von John: «Stauffenberg, so kommen Sie doch!»[279]

Der Aufgestörte, unsicher auch, wieviel Vogel gesehen haben könnte, nimmt sich nicht mehr die Zeit, noch die zweite Bombe aus Haeftens Mappe in die seine umzupacken. Eigens zu zünden brauchte er sie dabei nicht, sie würde ja automatisch mitexplodieren – ganz abgesehen davon, daß ein zweiter separater Zündablauf nie zeitidentisch einzustellen wäre. Etliche Historiker scheinen dies übersehen zu haben, sonst wäre nicht vielfach die Rede davon, Stauffenberg habe die zweite Bombe nicht mehr schärfen können.

Aber nun unterbleibt der Vorsatz, die Sprengladung und somit die Wirkung zu verdoppeln. Das ist für die Absichten des Attentäters sehr nachteilig, weil die – nur betonverstärkte – Holzkonstruktion der Lagebaracke dem Druck nachgeben und ihn nach außen ableiten wird – zumal bei den wegen der Hitze geöffneten Fenstern. Um vorher alle Anwesenden zu töten, dazu reicht aber der «halbe» Druck nicht aus. Hinterher wird der Sprengstoffexperte Widmann aus Schwaben befinden: «Des isch aber klar, hätte' die des [andere] Zeigs mit hochgehe lasse, da lebte kei' Ratt' mehr.»[280] Außerdem entfällt die Splitterwirkung, weil das Sprengpaket keinen Stahlmantel trägt.

Als Major von John dem einarmigen Oberst die geladene Tasche abnehmen will, reißt dieser sie ruckhaft an sich, verärgert ohnehin. So erreicht man gemeinsam den Lageraum, wo Heusinger bereits referiert. Um den sechs Meter langen Eichentisch und abseits davon sind einschließlich der Eintretenden fünfundzwanzig Personen versammelt. Keitel unterbricht, um Hitler zu melden, der Oberst Graf Stauffenberg sei eingetroffen. Jener reicht diesem die Hand. Nachträglich wird General Warlimont den Augenblick mit den Worten festhalten: «Das klassische Bild des Kriegers durch alle geschichtlichen Zeiten. Ich kannte ihn kaum, aber wie er dort stand, das eine Auge durch eine schwarze Binde verdeckt, einen verstümmelten Arm in einem leeren Uniformärmel, hochaufgerichtet, den Blick geradeaus auf Hitler gerichtet, der sich nun auch umgedreht hatte, bot er ein stolzes Bild [...].»[281]

Der Oberst findet durch einiges Rücken und Rangieren Platz auf Hitlers Seite, zwischen Heusinger und seinem Gehilfen Oberst Brandt, jenem Offizier, der im Vorjahr zwei hochexplosive Cognacflaschen aus Schlabrendorffs Händen empfangen und doch überlebt hatte. Ein zweites Entkommen aus der lebensbedrohenden Nähe zum Attentat ist dem Unglücklichen nicht vergönnt. Die Tasche schiebt der Neuankömmling unter den Tisch, doch steht er nicht nahe genug bei der Hauptperson, um die erhofft tödliche Ladung auf der (linken) Innenseite des massiven Eichensockels plazieren zu können. Es bleibt nur die (rechte) Außenseite, so daß die Holzbarriere den Diktator von der Zeitbombe trennt. Berichte, wonach ein anderer die zunächst «richtig» stehende Mappe, weil sie ihn gestört, erst nach rechts versetzt habe, sind nicht überzeugend verbürgt.

Stauffenberg gibt dem Major von John ein Zeichen und verläßt mit ihm den Raum. Häufiges, möglichst störungsfreies Kommen und Gehen ist hier üblich. Draußen bittet er ihn um eine Telefonverbindung zum Nachrichtenchef Fellgiebel. Der Major veranlaßt dies sofort und kehrt in den Konferenzraum zurück. Stauffenberg legt den Hörer unbenutzt wieder hin und geht schnellen Schrittes zum Adjutantengebäude, wo verabredungsgemäß ein Wagen mit dem Kurierfahrer Erich Kretz wartet.

Unterdessen hat die ätzende Flüssigkeit in der zerdrückten Säureampulle den Draht nahezu zerfressen. General Heusinger findet gerade noch Zeit, darauf zu drängen, die Heeresgruppe Nord vom Peipussee zurückzunehmen, andernfalls «werden wir eine Katastrophe...»[282] – «erleben» hat er nach eigenen Worten schon nicht mehr sagen können. Der Draht reißt, die von ihm gehaltene Feder mit dem Schlagbolzen schnellt nach unten auf das Zündhütchen. Mit einer gelbblauen Stichflamme, mächtiger Druckwelle und betäubendem Krachen wird der Lageraum in ein Chaos verwandelt. Vier Anwesende werden schwer verletzt und erliegen sämtlich den Verwundungen. Neun weitere sind mittelschwer getroffen, die übrigen leichter; nur Keitel bleibt völlig unversehrt. Hitler kommt davon mit Prellungen, Hautabschürfungen und geplatzten Trommelfellen.

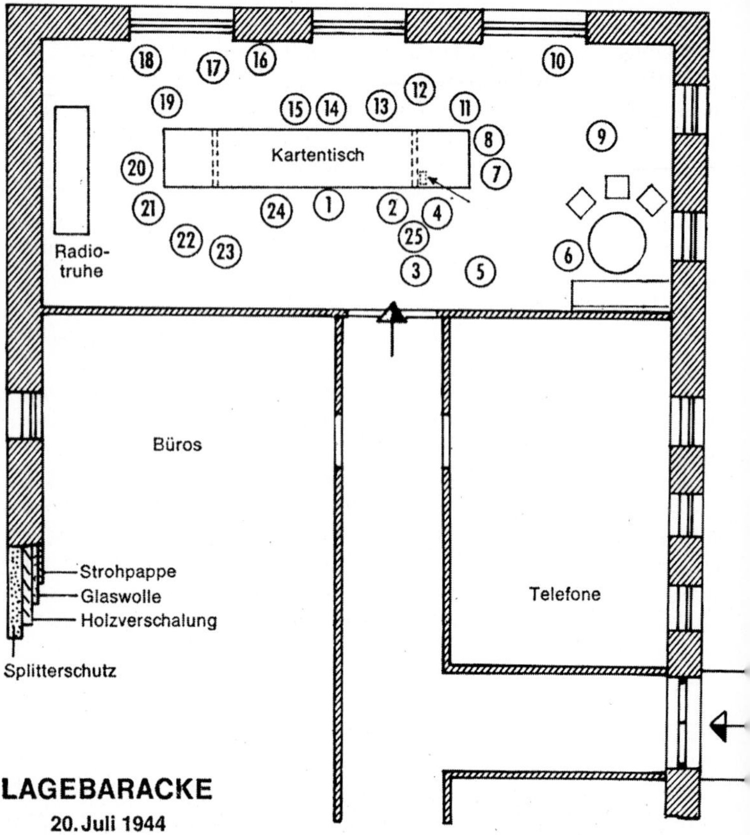

LAGEBARACKE

20. Juli 1944

So standen die Teilnehmer der Lagebesprechung am 20. Juli 1944 um den Kartentisch, kurz bevor die Bombe explodierte (Zeichnung von Walter Preiss): 1 Adolf Hitler, 2 Adolf Heusinger, 3 Günther Korten, 4 Heinz Brandt, 5 Karl Bodenschatz, 6 Heinz Waizenegger, 7 Rudolf Schmundt, 8 Heinrich Borgmann, 9 Walter Buhle, 10 Karl-Jesko von Puttkamer, 11 Heinrich Berger, 12 Heinz Aßmann, 13 Ernst John von Freyend, 14 Walther Scherff, 15 Hans-Erich Voß, 16 Otto Günsche, 17 Nicolaus von Below, 18 Hermann Fegelein, 19 Heinz Buchholz, 20 Herbert Büchs, 21 Franz von Sonnleithner, 22 Walter Warlimont, 23 Alfred Jodl, 24 Wilhelm Keitel. Die Nummer 25 steht für Stauffenberg, der den Raum vor der Explosion verließ

Der Attentäter glaubt, sein Werk an ihm verrichtet zu haben, weil er und Fellgiebel von fern wahrnehmen, wie eine Gestalt unter dem Umhang ihres Erzfeindes herausgetragen wird. Überdies kommt ihm gar nicht in den Sinn, daß die Gewalt der Sprengladung doch so weit hinter den Erwartungen zurückgeblieben ist. In diesem Bewußtsein läßt er den Acht-Zylinder-Horch aus dem innersten Sperrkreis zur Ausfahrt lenken. Am ersten Tor ist noch nicht Alarm gegeben; der wachhabende Leutnant läßt den Wagen nach kurzem Zögern passieren. Die Zeiteintragung lautet 12.44 Uhr, so daß die Detonation etwa zwei Minuten vorher erfolgt sein müßte.

Schwierig wird es am zweiten Tor, an der Außenwache Süd. Oberfeldwebel Kolbe weigert sich, den Schlagbaum zu öffnen. Der zum Flugplatz Eilende verlangt die Kommandantur, erreicht den Rittmeister Möllendorf am Telefon und hat das Zufallsglück, daß sein Gesprächspartner den Grund der Explosion noch nicht kennt (es gab auch öfter Minenexplosionen durch Wild). Möllendorf erlaubt ihm, trotz des ergangenen Alarms weiterzufahren; aber möglich ist es erst, nachdem sich der pflichteifrige Oberfeldwebel selbst von der Freigabe überzeugt hat. Dann öffnet sich der Schlagbaum. Der Oberst drängt den Fahrer zu höchster Eile. Der bemerkt trotz schnellster Fahrt, daß Haeften ein Paket zum Fenster hinauswirft. Es ist die nicht verwendete zweite Ladung; später wird sie nach den Angaben von Kretz gefunden. Am Flugplatz sehen Stauffen-

Nach dem Anschlag: die verwüstete «Lagebaracke»

berg und Haeften ihre bestellte He 111; um 13.15 Uhr hebt sie ungehindert ab. Erst im Verlauf der rund zweistündigen Flugzeit richtet sich der Tatverdacht zunehmend auf den so eilig entschwundenen Oberst.

Ob der vermeintlich Erfolgreiche währenddessen an die vielen Unwägbarkeiten zurückgedacht oder nur noch vorausgedacht hat? Denn schließlich war er in jeder Phase dieses Vormittags davon abhängig gewesen, daß alles «klappte»: hier ein verfügbarer freier Raum, dort das zeitgenaue Plazieren der brisanten Aktentasche, ein Auto zum berechneten Zeitpunkt, das Durchschlüpfen durch die Wachen, das startbereite Flugzeug... Eine Kette von Erfolgen war dies und dennoch: das Scheitern in der Hauptsache. Das ahnte er nicht, als die Maschine auf Berlin zuhielt. Inzwischen wußte es sogar schon Mussolini. Hitler zeigte seinem Besucher die Stätte der Verwüstung. Dem Duce schienen vor Bestürzung fast die Augen aus dem Kopf zu fallen, bemerkte der Chefdolmetscher Schmidt. «Wenn ich mir alles noch einmal vergegenwärtige», sagte dann Hitler, «so ergibt sich für mich aus meiner wunderbaren Errettung, während andere im Raum Anwesende schwere Verletzungen davongetragen haben [...], daß mir eben nichts passieren soll, besonders da es ja nicht das erste Mal ist, daß ich auf wunderbare Weise dem Tode entronnen bin.» [283]

Der Staatsstreich in Berlin

Unmittelbar nach dem Anschlag wurden im Führerhauptquartier die Fernsprechverbindungen nach draußen unterbrochen und blieben es (mit Ausnahmen) bis gegen 15 Uhr. Hierin trafen sich die Absichten der Verschwörer mit denen ihrer Widersacher. Die ersten wollten Befehle von hier ins Reich verhindern, die anderen nichts von der Tat nach außen dringen lassen. Dennoch benutzten befehlgebende Personen oder autorisierte einzelne die Leitungen auch während der Unterbrechungsphase. In Berlin muß die erste Nachricht vom Geschehen bald nach 13 Uhr bei dem Nachrichtenoffizier Generalleutnant Thiele, Fellgiebels Stabschef, eingegangen sein. Die Botschaft allerdings, die er sogleich an Olbricht weitergab, war in Fellgiebels doppelsinnige Worte gekleidet: «Es ist etwas Furchtbares geschehen: der Führer lebt.» [284] Wie sollte man dies deuten; vor allem: Was war mit Stauffenberg? Sollte, konnte jetzt gemäß den vorbereiteten Plänen gehandelt werden, nachdem schon vor fünf Tagen Fehlalarm ausgelöst worden war? Statt nun aber genauere Erkundigungen, soweit möglich, einzuholen oder zumindest in höchster Bereitschaft abzuwarten, gingen die Herren erst einmal wie jeden Tag zum Mittagessen und waren ihrerseits für nichts und niemanden zu erreichen. In der Unsicherheit leitete sie das Bestreben, durch «Normalverhalten» allen Verdacht zu unterlaufen. Damit einhergehend schlich sich wohl bereits

Halbherzigkeit, inneres Abrücken ein, ein erstes Mutmaßen des – vorher gar nicht erwogenen – Fehlschlags. Thiele ging sogar nach dem Essen noch spazieren.

Der einzige, der in dieser Phase entschieden vorwärtsdrängte, war Oberst Mertz von Quirnheim, welcher, Olbricht «überfahrend» und ohne Wissen Fromms, die Infanterieschule Döberitz und die Panzerschule Krampnitz alarmierte und in den Wehrkreisen ebenfalls die vorbereitende Stufe 1 des Walküre-Plans anlaufen ließ. Einige Zeit nach 15 Uhr landete die Heinkel-Maschine aus Rastenburg in Rangsdorf. Die Möglichkeit, Stauffenberg schon hier festnehmen zu lassen – denn der Verdacht richtete sich mehr und mehr gegen ihn –, wurde nicht wahrgenommen. Unbehelligt rief Haeften in der Bendlerstraße an und teilte mit, Hitler sei tot. Jetzt sträubte Olbricht sich nicht länger gegen die Tatentschlossenheit seines Stabschefs Mertz. An alle Wehrkreise und insbesondere an die rund um Berlin liegenden Lehr- und Ersatztruppen erging das Stichwort Walküre in seiner zweiten, der Einsatzstufe. Fromm wurde abermals übergangen.

Gegen wen der Einsatz sich richten soll, erfahren die jeweiligen Befehlshaber jetzt aus den – natürlich längst vorbereiteten – Fernschreiben, deren erstes die schon erwähnte Leitzeile trägt: «Der Führer Adolf Hitler ist tot.»[285] Wie es dazu kam, wird wohlweislich verschwiegen; es folgt statt dessen die verschleiernde, die Verschwörung nicht preisgebende Erklärung: «Eine gewissenlose Clique frontfremder Parteiführer hat es unter Ausnutzung dieser Lage versucht, der schwerringenden Front in den Rücken zu fallen und die Macht zu eigennützigen Zwecken an sich zu reißen.»[286] In genauer Umkehrung des Tatverlaufs tarnen sich die Widerständler hier als diejenigen, die jetzt die Ordnung verteidigen gegen einen Putsch aus den Reihen der Regimeträger, wer auch immer das sei. Demgemäß proklamiert eine «Reichsregierung» den militärischen Ausnahmezustand, wobei der als Unterzeichner genannte Feldmarschall von Witzleben als «Oberbefehlshaber der Wehrmacht» erklärt, die vollziehende Gewalt sei ihm übertragen worden.

In einem zweiten Fernschreiben ermächtigt er den «Oberbefehlshaber im Heimatkriegsgebiet» zu Sofortmaßnahmen, zu denen vor allem gehört, die Machtzentren des Himmler-Staates handlungsunfähig zu machen. Dieses zweite Schreiben trägt die Unterschrift Fromms, der zwar von alledem nichts weiß (so weit hat man ihn ja nicht eingeweiht), der aber anfänglich noch vertrauenerweckende Kontinuität verbürgen soll. Hinter der Kulisse steht jedoch schon sein Nachfolger, der von Hitler aus der Wehrmacht verstoßene Generaloberst Hoepner.

Da die Fernschreiben als «Geheime Kommandosache» nicht auf den normalen Fernschreibgeräten verbreitet, sondern nur auf wenigen «Geheimschreibern» abgesetzt werden können, verzögert die Übermittlung sich in einer wohl vorher nicht vorausberechneten Weise. Moderne Staatsstreiche sind hochgradig technikabhängig. Das mußte der Putschist

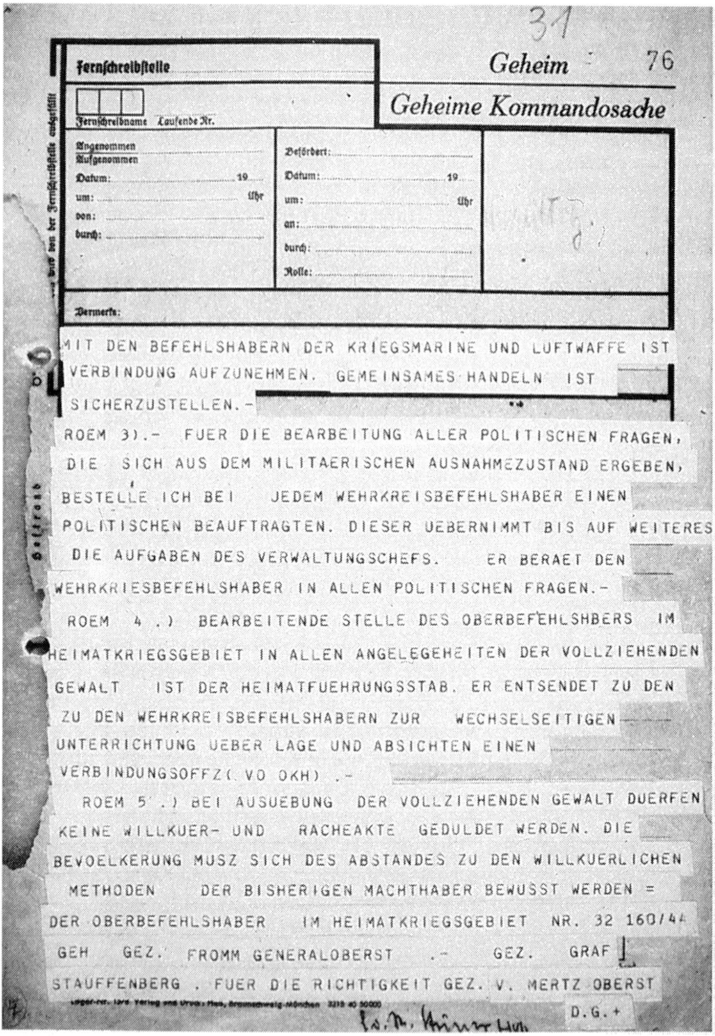
31

Fernschreibstelle

Geheim 76

Geheime Kommandosache

Fernschreibname Laufende Nr.

Angenommen
Aufgenommen
Datum: 19
um: Uhr
von:
durch:

Befördert:
Datum: 19
um: Uhr
an:
durch:
Rolle:

Vermerke:

MIT DEN BEFEHLSHABERN DER KRIEGSMARINE UND LUFTWAFFE IST
VERBINDUNG AUFZUNEHMEN. GEMEINSAMES HANDELN IST
SICHERZUSTELLEN.-
ROEM 3).- FUER DIE BEARBEITUNG ALLER POLITISCHEN FRAGEN,
DIE SICH AUS DEM MILITAERISCHEN AUSNAHMEZUSTAND ERGEBEN,
BESTELLE ICH BEI JEDEM WEHRKREISBEFEHLSHABER EINEN
POLITISCHEN BEAUFTRAGTEN. DIESER UEBERNIMMT BIS AUF WEITERES
DIE AUFGABEN DES VERWALTUNGSCHEFS. ER BERAET DEN
WEHRKRIESBEFEHLSHABER IN ALLEN POLITISCHEN FRAGEN.-
ROEM 4 .) BEARBEITENDE STELLE DES OBERBEFEHLSHBERS IM
HEIMATKRIEGSGEBIET IN ALLEN ANGELEGEHEITEN DER VOLLZIEHENDEN
GEWALT IST DER HEIMATFUEHRUNGSSTAB. ER ENTSENDET ZU DEN
ZU DEN WEHRKREISBEFEHLSHABERN ZUR WECHSELSEITIGEN
UNTERRICHTUNG UEBER LAGE UND ABSICHTEN EINEN
VERBINDUNGSOFFZ(VO OKH) .-
ROEM 5 .) BEI AUSUEBUNG DER VOLLZIEHENDEN GEWALT DUERFEN
KEINE WILLKUER- UND RACHEAKTE GEDULDET WERDEN. DIE
BEVOELKERUNG MUSZ SICH DES ABSTANDES ZU DEN WILLKUERLICHEN
METHODEN DER BISHERIGEN MACHTHABER BEWUSST WERDEN =
DER OBERBEFEHLSHABER IM HEIMATKRIEGSGEBIET NR. 32 160/44
GEH GEZ. FROMM GENERALOBERST .- GEZ. GRAF
STAUFFENBERG . FUER DIE RICHTIGKEIT GEZ. V. MERTZ OBERST
D.G. +

Eines der Fernschreiben, das die Verschwörer am Nachmittag des 20. Juli verbreiteten

Hitler im November 1923 zu seinem Nachteil erfahren; das erleben seine Widersacher im Juli 1944 nicht nur am Beispiel des Buchstabengedränges am Geheimschreiber, sondern ebenso an den Gegenbefehlen aus dem Führerhauptquartier. Dort werden die Fernschreiben ja auch empfangen. Erst dadurch hat man erkannt, daß sich in Berlin ein Staatsstreich entwickelt. Bisher vermutete man die Einzeltat des Obersten Stauffenberg.

Während dieser sehr verspätet von Rangsdorf losgefahren ist (der bestellte Wagen war nicht eingetroffen), hat Olbricht gegen 16 Uhr seinen Vorgesetzten Fromm aufgesucht und ihm die Auslösung des Stichwortes Walküre vorgeschlagen, da Hitler einem Attentat zum Opfer gefallen sei. Der Generaloberst zögert, nicht zuletzt wegen des Fehlalarms vom 15. Juli. Olbricht, seit Haeftens Anruf seiner Sache sicher, läßt ein Blitzgespräch zu Keitel durchstellen. Der Feldmarschall bestätigt wahrheitsgemäß: Attentat ja – Führer nur leicht verletzt. Daraufhin weigert Fromm sich, das Codewort freizugeben – aber das ist längst unterwegs.

Gegen 16.30 Uhr trifft Stauffenberg am Bendlerblock ein, stürmt die Treppen hinauf und trifft in seinem Zimmer den Bruder Berthold (in der Uniform des Marineoberstabsrichters), Fritz-Dietlof von der Schulenburg mit drei anderen und erklärt ohne Begrüßung: *Er ist tot. Ich habe gesehen, wie man ihn hinausgetragen hat.*[287] Gemeinsam mit Olbricht geht er zu Fromm. Nochmals wird bekräftigt, daß Hitler umgekommen sei.[288]

Fromm: «Das ist unmöglich. Keitel hat mir das Gegenteil versichert.»

Stauffenberg: *Der Feldmarschall Keitel lügt wie immer. Ich habe selbst gesehen, wie man Hitler tot hinausgetragen hat.*

Olbricht: «Angesichts dieser Lage haben wir das Stichwort für innere Unruhen an die stellvertretenden Generalkommandos gegeben.»

Fromm (aufspringend): «Das ist glatter Ungehorsam! Was heißt ‹wir›? Wer hat den Befehl gegeben?»

Olbricht: «Mein Chef des Stabes, Oberst Mertz von Quirnheim.»

Fromm: «Holen Sie mir sofort den Oberst Mertz hierher!» Und, nachdem dieser erschienen: «Sie sind verhaftet. Das weitere wird sich finden.»

Stauffenberg: *Herr Generaloberst, ich habe die Bombe während der Besprechung mit Hitler gezündet. Es hat eine Explosion gegeben, als ob eine 15-Zentimeter-Granate eingeschlagen hätte. Niemand in jenem Raum kann mehr leben.*

Fromm: «Graf Stauffenberg, das Attentat ist mißglückt. Sie müssen sich sofort erschießen.»

Stauffenberg: *Nein, das werde ich keinesfalls tun.*

Olbricht: «Herr Generaloberst, der Augenblick zum Handeln ist gekommen. Wenn wir jetzt nicht losschlagen, wird unser Vaterland für immer zugrunde gehen.»

Fromm: «Dann sind auch Sie, Olbricht, an diesem Staatsstreich beteiligt?»

Olbricht: «Jawohl, aber ich stehe nur am Rande des Kreises, der die Regierung in Deutschland übernehmen wird.»

Fromm: «Ich erkläre Sie hiermit alle drei für verhaftet!»

Der Eingang zum Bendlerblock in Berlin-Tiergarten, heute: Stauffenbergstraße

Olbricht: «Sie können uns nicht verhaften, Sie täuschen sich über die wahren Machtverhältnisse. Wir verhaften Sie!»

Als der Generaloberst mit erhobenen Fäusten auf Olbricht eindringt, treten die Offiziere Kleist und Haeften mit gezogenen Pistolen dazwischen. Fromm gibt resignierend nach und wird in einem Nebenraum festgesetzt, während Hoepner seinen Posten übernimmt.

Unterdessen treffen nacheinander benachrichtigte Funktionsträger und Sympathisanten ein, unter ihnen Beck (in Zivil, um unnötiges Aufsehen zu vermeiden), Gerstenmaier aus dem Kreisauer Kreis, Gisevius und Otto John (Agenten und Mittelsleute der Abwehr in Zürich und Madrid),

Generalfeldmarschall Erwin von Witzleben

Graf Schwerin als Verbindungsmann zu Witzleben, später auch dieser selbst – in voller Uniform, mit dem Marschallstab in der Hand. Stellt sich so ein deutscher Generalfeldmarschall einen Staatsstreich vor: wie eine Amtsübernahme in geordneten Tagen? Mit den Herren der «alten Schule» ist das alles nicht zu machen, und so lassen sie denn auch, einschließlich Hoepners, das dramatische Geschehen ziemlich hilflos an sich vorüberziehen, während die Akteure auf der mittleren Rangebene es vorantzutreiben suchen.

Insbesondere Stauffenberg wirft sich mit letzter Willensanspannung den höchst irritierenden Widerrufen wie auch den aufkommenden eigenen Zweifeln entgegen. Vom Hauptquartier in Ostpreußen läßt Keitel bereits den Funkspruch verbreiten: «Der Führer lebt! Völlig gesund.» Hinzugefügt wird, der Reichsführer SS sei neuer Befehlshaber des Ersatzheeres; nur s e i n e Befehle seien zu befolgen, nicht diejenigen von Fromm, Witzleben und Hoepner.[289] Otto John beobachtet, wie Stauffenberg am Telefon nach allen Seiten kämpft, ringt, befiehlt, beschwört, bestärkt: *Hier Stauffenberg – jawohl, ja, alles Befehl des B. d. E.* [Befehlshaber des Ersatzheeres] – *jawohl, es bleibt dabei – alle Befehle sofort auszuführen – Sie müssen sofort alle Rundfunk- und Nachrichtenstellen besetzen – jeder Widerstand wird gebrochen – wahrscheinlich bekommen Sie Gegenbefehle aus dem Führerhauptquartier – die sind nicht autorisiert – nein – die Wehrmacht hat die vollziehende Gewalt übernommen – niemand außer dem B. d. E. ist autorisiert, Befehle zu erteilen – haben Sie verstanden? – Jawohl, das Reich ist in Gefahr – wie immer in Stunden der höchsten Gefahr hat jetzt der Soldat die Vollzugsgewalt – ja, Witzleben ist zum Oberbefehlshaber ernannt – besetzen Sie alle Nachrichtenstellen – klar? – Heil!*[290]

Gerade beim letzten Punkt ist nichts «klar». Der Zugriff auf den wichtigsten öffentlichen Nachrichtenübermittler, den Rundfunk, mißlingt. Zwar besetzt eine Abteilung aus der Infanterieschule Döberitz unter Major Jakob den Deutschlandsender in der Charlottenburger Masurenallee und befiehlt dem Intendanten, den Sendebetrieb einzustellen; doch der Major, ein Taktiklehrer, versteht nichts vom Funkwesen, und der hierfür bereitgestellte Nachrichtenoffizier trifft nicht ein. Der Intendant versichert, alles sei abgeschaltet. Doch der zentrale Schalt- und Senderaum befindet sich, kriegsbedingt, in einem Bunker nebenan, und von dort läuft der Sendebetrieb ungestört weiter. Schon am Spätnachmittag – die genaue Zeit ist strittig – wird ein Kommuniqué verlesen, des Inhalts: «Auf den Führer wurde heute ein Sprengstoffanschlag verübt. [...] Der Führer selbst hat außer leichten Verbrennungen und Prellungen keine Verletzungen erlitten.»[291] In Abständen wird das Kommuniqué immer wieder verlesen; es verbreitet Unsicherheit und Zweifel in den Wehrkreisen und lähmt das befohlene Vorgehen selbst dort, wo man dazu willens ist, wo verläßliche Offiziere im Sinne des Umsturzes wirken.

Kämpft Stauffenberg in seiner mehrstündigen Telefonkampagne im Grunde schon aussichtslos gegen die immer deutlicher werdende Tatsache des Mißlingens, so eröffnet die Gegenseite in seinem Rücken noch eine zweite Front. Der Propagandaminister Goebbels weiß schon seit dem Mittag von einem Attentat; das hat ihm der Pressechef Otto Dietrich von dorther sofort durchtelefoniert – und daß der Führer lebt. Am Nachmittag erfährt er, gleichfalls aus Rastenburg, daß ein Militärputsch im Gange sei. Er ruft Speer zu sich in sein Wohnpalais nahe dem Brandenburger Tor; der solle ihn durch seine Ruhe vor übereilten Entscheidungen bewahren. Zusammen bemerken sie jetzt, aus dem Fenster

Hitler nach dem Attentat, nur leicht verletzt, im Bunker der Wolfsschanze. Rechts neben ihm (mit Kopfverband) Alfred Jodl

schauend, Truppen in feldmarschmäßiger Ausrüstung. Der Hausherr holt aus dem Schlafzimmer einige Tabletten und steckt sie in die Tasche. «Dies für alle Fälle!»[292]

Die Truppen gehören zum Berliner Wachbataillon «Großdeutschland» unter Major Remer. Der Eichenlaubträger ist vom Stadtkommandanten von Hase, der zu den Verschwörern zählt, beauftragt, das Regierungsviertel abzusperren. Der Befehl wird ausgeführt. Dabei kommen dem NS-Führungsoffizier des Bataillons, Leutnant Hagen, Zweifel an der Rechtmäßigkeit des ganzen Vorgehens. Mit Erlaubnis seines Kommandeurs geht er zu Goebbels, erfährt die Tatsachen, bürgt für Remers Loyalität und arbeitet sich mühevoll wieder zu ihm durch. Daraufhin begibt Remer sich entgegen dem Befehl des Stadtkommandanten in die Ministerwohnung, wo Goebbels ihn an sein Treuegelöbnis erinnert und dann den Trumpf ausspielt, der Führer lebe; er habe gerade mit ihm gesprochen. In Sekunden wird die Verbindung nach Ostpreußen erneut hergestellt. Goebbels verfügt über eine den Verschwörern unbekannte Privatschaltung zum Führerhauptquartier[293], wodurch doppelt ins Gewicht fällt, daß versäumt wurde, ihn frühzeitig festnehmen zu lassen.

Hitler zu Remer: «Hören Sie mich? Erkennen Sie meine Stimme?» Die kennt er aus frischer Erinnerung von der persönlichen Ordensverleihung im November 1943. «Major Remer, ich spreche als Oberster

Befehlshaber der Wehrmacht. Nur meine Befehle sind zu befolgen. Sie haben Berlin für mich zu sichern…»[294] Es ist ungefähr 19 Uhr.

Von Hitler persönlich in die Pflicht genommen, ihm ergeben ohnehin, beschleunigte Remer das Scheitern des Umsturzversuches. Erfolglos geblieben wäre dieser in jedem Fall. Eine wirkliche Chance hatte er nie von dem Moment an, in welchem Hitler am Mittag überlebte. Einzig sein Tod, mit der Lösung des Eides auf ihn, hätte die Möglichkeit geboten, diesen und jenen Oberkommandierenden, auf deren Truppen es letztlich ankam, zum Kampf gegen das Regime zu bewegen, so schwer dies auch angesichts des feindlichen Ansturms im Osten und Westen praktisch vorstellbar ist. Wie aber sollte den Frontkommandeuren ohne tiefere Einblicke in das Geschehen der Staatsstreich gegen den lebenden Oberbefehlshaber, den «Führer und Reichskanzler», überzeugend vermittelt werden? Feldmarschall von Kluge, als Oberbefehlshaber West gerade jetzt wieder in einer Schlüsselposition, verweigerte sich abermals, und zwar mit dem drastisch-zutreffenden Befund: «Ja, wenn das Schwein tot wäre!»[295]

Davon aber gingen die Mitverschworenen im Pariser Hauptquartier des Militärbefehlshabers im besetzten Frankreich, von Stülpnagel, zunächst zuversichtlich aus. Ausgerechnet hier, mit am weitesten vom Tatort entfernt, waren die Hitler-Gegner so erfolgreich wie nirgendwo sonst. Die gesamte Pariser Gestapo-Mannschaft wurde inhaftiert.

Das geschieht nach 22 Uhr, als ein müder Generalstabsoberst aus Berlin im Hotel Raphael in der Avenue Foch anruft, wohl um sich von seinem Vetter Hofacker zu verabschieden, aber den gesinnungsverwandten Oberst von Linstow am Apparat vorfindet: Alles sei verloren, die Schergen toben schon auf den Gängen. Das sind nicht Remers Leute, die da toben, sondern Offiziere aus Olbrichts Stab, die nicht eingeweiht waren und jetzt, da die Lage unzweifelhaft umschlägt, nicht noch in den Verdacht der Meuterei geraten wollen. So formieren sie sich zum Gegenstoß. Schüsse fallen, auch Stauffenberg schießt trotz seiner Behinderung, wird dabei selbst getroffen. Fromms Sekretärin hört ihn todtraurig sagen: *Sie haben mich ja alle im Stich gelassen.*[296] Der Satz ist der letzte gesicherte seines Lebens, denn über das endgültige Schlußwort besteht keine einmütige Zeugenschaft. Ausführlicher hört Friedrich Georgi seinen Schwiegervater Olbricht sprechen: «Ich weiß nicht, wie eine spätere Nachwelt über unsere Tat und über mich urteilen wird, ich weiß aber mit Sicherheit, daß wir alle frei von irgendwelchen persönlichen Motiven gehandelt haben, um Deutschland vor dem völligen Untergang zu bewahren. Ich bin überzeugt, daß unsere Nachwelt das einst erkennen und begreifen wird.»[297]

Die jetzt übermächtig gewordenen Gegenkräfte befreien Fromm aus seiner Einzelhaft. Er versucht seinen Kopf zu retten, indem er die Mitwisser seiner opportunistischen Haltung beseitigen läßt. «So, meine Herren,

Inschrift am Hinrichtungsort im Hof des ehemaligen Bendlerblocks

jetzt mache ich es mit Ihnen so, wie Sie es heute mittag mit mir gemacht haben.»[298] Allen verlangt er die Pistole ab. Beck bittet die seine behalten zu dürfen, um selbst die Konsequenzen zu ziehen. Sein Freitodversuch gelingt jedoch erst mit Hilfe eines herbeibefohlenen Feldwebels. Während Witzleben vorzeitig das Haus verlassen hat, schon im Wissen der verlorenen Sache, erklärt Fromm vier Offiziere für standrechtlich zum Tode durch Erschießen verurteilt: «den Oberst im Generalstab, Mertz, General der Infanterie, Olbricht, diesen Oberst, dessen Namen ich nicht mehr kenne [gemeint ist Stauffenberg], und diesen Oberleutnant»[299]. Hoepner nimmt er davon aus, läßt ihn lediglich in die Haft abführen. Im Hof des Bendlerblocks, nach Mitternacht, stirbt Claus Schenk Graf von Stauffenberg, so wird mehrheitlich überliefert, mit dem Ruf: *Es lebe das heilige Deutschland!*[300]

Sodoms Gerechte

Stauffenbergs Name trat durch Hitler in die Geschichte ein. Als dieser mitten in der Nacht das vorläufige Schlußwort sprach, nannte er den Oberst als Täter und fügte an, daß diesmal nun so abgerechnet werde, «wie wir das als Nationalsozialisten gewohnt sind»[301]. Einen Vorgeschmack lieferte Himmler schon am nächsten Tag, als er die Leichen der vier Hingerichteten nebst derjenigen Becks aus ihrer gemeinsamen Grabstätte auf dem Schöneberger Friedhof bei der Matthäikirche wieder herausholen ließ; die Körper wurden verbrannt, die Aschenreste auf den Feldern verstreut. Aber die «ganz kleine Clique ehrgeiziger, gewissenloser und zugleich verbrecherischer, dummer Offiziere»[302] wurde, wohl zu Hitlers eigener Überraschung, immer größer, sie wuchs und wuchs, ein das ganze Heer und den Staatsapparat durchziehendes Geflecht von Gegenkräften. Als in «dieser schrecklichsten Tragödie in Deutschlands moderner Geschichte [...] die Besten, und in welcher Zahl, an dem Schlechtesten zugrunde gingen»[303], geschah es unter Hohn und Spott, Schande und Fluch. So hatte Henning von Tresckow es seinem Vertrauten Schlabrendorff vorausgesagt, ehe er sich am 21. Juli im Niemandsland vor der Front das Leben nahm. Seine letzten Äußerungen können als Gedenkwort und Vermächtnis für die ganze Widerstandsbewegung gelten:

«Jetzt wird die ganze Welt über uns herfallen und uns beschimpfen. Aber ich bin nach wie vor der felsenfesten Überzeugung, daß wir recht gehandelt haben. Ich halte Hitler nicht nur für den Erzfeind Deutschlands, sondern auch für den Erzfeind der Welt. Wenn ich in wenigen Stunden vor den Richterstuhl Gottes treten werde, um Rechenschaft abzulegen über mein Tun und Unterlassen, so glaube ich mit gutem Gewissen das vertreten zu können, was ich im Kampf gegen Hitler getan habe. Wenn einst Gott Abraham verheißen hat, er werde Sodom nicht verderben, wenn auch nur zehn Gerechte darin seien, so hoffe ich, daß Gott auch Deutschland um unsertwillen nicht verderben wird.»[304]

Deutschland als Nation überdauerte, darin wurde Tresckows Hoffnung erfüllt. Aber das Regime riß noch Millionen mit in den eigenen Untergang. Man hat errechnet, daß nach dem mißglückten Attentat und Umsturzversuch, also in den letzten neun Monaten des Krieges, mehr

Nach dem gescheiterten Attentat vom 20. Juli fielen Hunderte von Hitler-Gegnern der Blutjustiz des Volksgerichtshofs unter dem Vorsitzenden Roland Freisler zum Opfer

deutsche Soldaten und Zivilpersonen umgekommen sind als in den knapp fünf Jahren zuvor. Unter ihnen befand sich der größte Teil derer, die an der Verschwörung gegen Hitler im engeren oder weiteren Kreis beteiligt gewesen waren. Die Ehrentafel in Schlabrendorffs Buch «Offiziere gegen Hitler» enthält über hundertfünfzig Namen aus dem militärischen und zivilen Bereich. Was hier dem deutschen Volk an moralisch-sittlicher Kraft, an idealistischem Wollen und gestaltender Befähigung verlorengegangen ist, läßt sich nicht ermessen.

Die Opposition starb einsame Tode. Fast alle ihre Mitglieder waren zuvor vom Volksgerichtshof abgeurteilt worden. Sein Präsident Roland Freisler fanatisierte die Justiz und unterließ keine Gelegenheit, die Angeklagten zu demütigen, sie vor einer sorgsam ausgesuchten und daher feindseligen Zuhörerschaft als ehrlose Kreaturen, Verräter und Halunken zu beschimpfen. «Die sprungbereite Wachsamkeit des Tigers auf dem Präsidentenstuhl» (Eberhard Zeller[305]) ließ zusammenhängende Verteidigung gar nicht zu. Für Grundaussagen blieben kaum Möglichkeiten. Doch der Legationsrat Hans Bernd von Haeften, gefragt, warum er dem Führer verbrecherisch die Treue gebrochen habe, nutzte diesen unkalkulierbaren Moment zu der Antwort: «Weil ich den Führer für den Vollstrecker des Bösen in der Geschichte halte.»[306] Ähnlich dachte Albrecht Haushofer, als er in der Haft seine Moabiter Sonette und darin das Gedicht «Gefährten» schrieb, bevor er in den letzten Kriegstagen auf einem Trümmergrundstück ermordet wurde:

Als ich in dumpfes Träumen heut versank,
sah ich die ganze Schar vorüberziehn:
die Yorck und Moltke, Schulenburg, Schwerin,
die Hassell, Popitz, Helfferich und Planck –

nicht einer, der des eignen Vorteils dachte –
nicht einer, der gefühlter Pflichten bar,
in Glanz und Macht, in tödlicher Gefahr,
nicht um des Volkes Leben sorgend wachte.

Den Weggefährten gilt ein langer Blick:
sie hatten alle Geist und Rang und Namen,
die gleichen Ziels in diese Zellen kamen –

und ihrer aller wartete der Strick.
Es gibt wohl Zeiten, die der Irrsinn lenkt.
Dann sind's die besten Köpfe, die man henkt.

Auch Berthold von Stauffenberg wurde hingerichtet.
Er starb am 10. August 1944

Anmerkungen

Hinter der laufenden Zitatnummer wird der Verfasser- oder Herausgebername mit der Seitenzahl der betreffenden Schrift genannt. Deren voller Titel ist im Literaturverzeichnis zu finden. Enthält es mehrere Arbeiten eines Autors, so wird mit unterscheidender Kurzform zitiert. Der volle Nachweis wird nur dann an Ort und Stelle geliefert, wenn die Bibliographie das Werk nicht aufführt. Das Kürzel «A. a. O.» gilt stets nur für die letztgenannte Belegstelle. Orthographische Eigenheiten Stauffenbergs bestehen vor allem in der wechselnden Groß- und Kleinschreibung sowie unter anderem in der Schreibweise «dass» statt «daß». In den gedruckten Quellenwiedergaben findet man überwiegend eine Anpassung an die Duden-Norm. Die Monographie hält sich beim Zitieren an die jeweiligen Vorlagen, ohne sie nach der einen oder anderen Seite zu vereinheitlichen.

1 Anton Hoch, «Die Zeit», 31. Oktober 1969
2 John Toland: Adolf Hitler. Bergisch Gladbach 1976, S. 763
3 Zeller, 208
4 Schlabrendorff, 97
5 A. a. O., 99
6 Hoffmann, Widerstand, Staatsstreich, 360
7 Zeller, 525
8 A. a. O., 334
9 Meding, 203
10 Schlabrendorff, 17, nach Goethe, Dichtung und Wahrheit, Teil IV, Buch 20
11 Schlabrendorff, 154
12 Wunder 71, zum folgenden auch: 224, 321, 479 sowie Pfizer 491 f.; Kramarz, 17 f.; Hoffmann, Stauffenberg, 18
13 Boehringer (1951), 193
14 Marion Gräfin Dönhoff: Kindheit in Ostpreußen. Berlin 1988, S. 58
15 Hoffmann, Stauffenberg, 24
16 A. a. O., 37
17 Ebd.
18 Zeller, 518
19 Vgl. Anm. 14, S. 203
20 Hoffmann, Stauffenberg, 55
21 A. a. O., 455
22 Ebd.
23 A. a. O., 34
24 Müller, 41–43
25 Kramarz, 88
26 Müller, 38; Venohr, 36
27 Hoffmann, Stauffenberg, 49
28 A. a. O., 54
29 Müller, 60
30 Rudolf Goldschmit-Jentner: Vollender und Verwandler. Hamburg 1952 (hier verwendet: Frankfurt a. M. 1957), S. 65
31 A. a. O., 63
32 In: Die Großen Deutschen, hg. von Hermann Heimpel, Theodor Heuss, Benno Reifenberg. Frankfurt a. M.–Berlin 1956 (hier verwendet: 1983), Band IV, 301
33 Marcel Reich-Ranicki: Nachprüfung. Aufsätze über deutsche

Schriftsteller von gestern. München 1984, S. 287
34 Boehringer (1951), 150; Kramarz, 27
35 Jost Dominik, bei Kramarz, 29; Müller, 57
36 Armin Mohler: Die Konservative Revolution in Deutschland 1918–1932. Ein Handbuch. Darmstadt 1972, S. 433
37 Zit. nach Franz Schonauer: Stefan George. Reinbek 1960, S. 150
38 Kramarz, 28
39 Zit. nach Bernhard Zeller (Hg.): Stefan George 1868 / 1968. Der Dichter und sein Kreis. Eine Ausstellung des Deutschen Literaturarchivs im Schiller-Nationalmuseum Marbach a. N. Stuttgart 1968, S. 326
40 A. a. O., 270
41 Kramarz, 24
42 Nina von Stauffenberg, bei Finker, 411
43 Edgar Salin, bei Finker, 412
44 Vgl. Anm. 37, S. 129
45 Vgl. Anm. 30, S. 58
46 Kramarz, 26
47 Venohr, 41; Hoffmann, Stauffenberg, 53
48 Hoffmann, ebd.
49 Müller, 58
50 Venohr, 47
51 Müller, 176
52 Finker, 24 f.; Hoffmann, Stauffenberg, 83
53 Hoffmann, a. a. O., 456
54 Bernd von Pezold, bei Kramarz, 40
55 Hoffmann, Stauffenberg, 85
56 Buchtitel von Fritz Fischer aus dem Jahr 1979
57 Müller, 74
58 Manfred von Brauchitsch, bei Finker, 39
59 A. a. O., 39 f.
60 Hoffmann, Stauffenberg, 95
61 Müller, 517
62 Adolf Hitler: Mein Kampf. 2 Bände. München 1925 und 1927 (hier verwendet: 1933), S. 305 f.
63 Ernst Deuerlein: Der Aufstieg der NSDAP in Augenzeugenberichten. Düsseldorf 1968 (hier verwendet: München 1974), S. 108, 110
64 Müller, 108; Hoffmann, Stauffenberg, 103
65 Hitler. Reden und Proklamationen 1932–1945. Hg. und kommentiert von Max Domarus. Neustadt a. d. Aisch 1962, Bd. 1, S. 194
66 Venohr, 34
67 Müller, 78
68 Bernd von Pezold, bei Venohr, 59
69 Hoffmann, Stauffenberg, 123
70 Ebd.
71 Müller, 106
72 Rudolf Fahrner, bei Zeller, 239 ff.
73 Nina von Stauffenberg, bei Meding, 277
74 Nina von Stauffenberg, bei Venohr, 58
75 A. a. O., 60
76 Ebd.; Hoffmann, Stauffenberg, 97
77 Hans Walzer, bei Kramarz, 38 f.
78 Nina von Stauffenberg, bei Hoffmann, Stauffenberg, 94
79 Heinz Greiner, bei Kramarz, 36
80 Bernd von Pezold, a. a. O., 37
81 Venohr, 85
82 Droste Geschichtskalendarium, Bd. 2 / I, Das Dritte Reich 1933–1939, hg. von Manfred Overesch und Friedrich Wilhelm Saal. Düsseldorf 1982, S. 198
83 Jacobsen, 435
84 Hoffmann, Stauffenberg, 512
85 Venohr, 90
86 Hoffmann, Stauffenberg, 141
87 Ludwig Reiners: In Europa gehen die Lichter aus. Der Untergang des wilhelminischen Reiches. München 1957, S. 63
88 Hoffmann, Stauffenberg, 142
89 A. a. O., 137 f.; Venohr, 91 f.
90 Venohr, 92; Hoffmann, Stauffenberg, 138
91 Kramarz, 224
92 Kurt Student, bei Kramarz. 52
93 Müller, 125 f.

94 Jacobsen, 305
95 Zeller, 228
96 Müller, 121
97 Hoffmann, Stauffenberg, 148
98 Vgl. den Text zu Anm. 72
99 Vgl. Anm. 65, Bd. 2, S. 1315
100 Hoffmann, Stauffenberg, 148
101 A. a. O., 167
102 Venohr, 101
103 Hoffmann, Stauffenberg, 148
104 Walther Hofer (Hg.): Der Nationalsozialismus. Dokumente 1933–1945. Frankfurt a. M. 1957, S. 341
105 Werner Reerink, bei Kramarz, 72
106 Hoffmann, Stauffenberg, 183
107 Werner Reerink, bei Kramarz, 58
108 Venohr, 109; Hoffmann, Stauffenberg, 183
109 Müller, 166
110 Hoffmann, Stauffenberg, 189
111 Müller, 167
112 Venohr, 108
113 Werner Reerink, bei Kramarz, 67
114 Hoffmann, Stauffenberg, 190
115 Zum folgenden a. a. O., 193 f.
116 A. a. O., 196
117 Vgl. Harald Steffahn: Deutschland – Von Bismarck bis heute. Stuttgart 1990, S. 271 f.
118 Vgl. Textstelle zu Anm. 25
119 Müller, 179
120 A. a. O., 181
121 Rudolf Fahrner, bei Zeller, 243
122 Müller, 181
123 Ernennung im Januar 1940. Gegenüber dem bisherigen «Rittmeister» war dies keine Beförderung, nur die der Stabsposition gemäßere Rangbezeichnung, da es einen Rittmeister i. G. (im Generalstab) terminologisch nicht gab.
124 Kramarz, 77 f.
125 A. a. O., 78. Reinhardts Vorname richtig: Hellmuth
126 Kramarz, 23
127 Vgl. Anm. 104, S. 243
128 Zit. nach Hugh Trevor-Roper, Viertelj.hefte für Zeitgeschichte, 1960, S. 133
129 Ingeborg Fleischhauer: Die Chance des Sonderfriedens. Deutsch-sowjetische Geheimgespräche 1941–1945. Berlin 1986, S. 29
130 Vgl. Textstelle zu Anm. 88
131 Hans-Adolf Jacobsen (Hg.): 1939–1945. Der Zweite Weltkrieg in Chronik und Dokumenten. Darmstadt 1959, S. 225
132 A. a. O., 229
133 Vgl. Anm. 65, Band 2, S. 1763
134 Helmut Schmidt: Menschen und Mächte. Berlin 1987, S. 18 f.
135 Müller, 210
136 A. a. O., 219; Hoffmann, Stauffenberg, 238
137 Hoffmann, a. a. O., 249
138 A. a. O., 251
139 Vgl. den Buchtitel unter Anm. 129
140 Erwin Colsman, bei Zeller, S. 520, Anm. 29
141 Kramarz, 226
142 Vgl. Textstelle zu Anm. 124
143 Hoffmann, Stauffenberg, 251. Weit später, 1962, gab derselbe Zeuge die Äußerung gegenüber Kramarz (S. 113) abgewandelt wieder: *Findet sich denn […] kein Offizier, der das Schwein mit der Pistole umlegt?* Diese Ausdrucksweise gehörte eigentlich nicht zu Stauffenbergs Vokabular.
144 Dietz Frh. von Thüngen, bei Kramarz, 85
145 Hoffmann, Stauffenberg, 540
146 Otto Schiller, bei Zeller, 246 f.
147 A. a. O., 247
148 A. a. O., 248
149 Kurt Zeitzler, bei Kramarz, 121
150 Hermann Balck, bei Venohr, 167
151 Stahlberg, 282
152 Alexander Stahlberg, bei Venohr, 174
153 Beförderung zum 1. Januar 1943
154 Zum folgenden: Stahlberg, 267 ff.
155 Dietz Frh. von Thüngen, bei Müller, 280
156 Nina von Stauffenberg, bei Müller,

ebd.; leicht abweichend bei Kramarz, 116
157 Dietz Frh. von Thüngen, bei Müller, 280; leicht abweichend bei Kramarz, 120
158 Dietz Frh. von Thüngen, bei Zeller, 237; bei Kramarz, 81 – teils übereinstimmend, teils einander ergänzend
159 Venohr, 169 f.
160 Hassell, 347
161 Hans Bernd Gisevius, bei Hoffmann, Stauffenberg, 260
162 Friedrich Frh. von Broich, bei Kramarz, 122
163 A. a. O., 126
164 A. a. O., 126 f.
165 A. a. O., 114
166 Hans Reimann, bei Kramarz, 124
167 Friedrich Zipfel, bei Kramarz, a. a. O., 124 f.
168 A. a. O., 126
169 Friedrich Frh. von Broich, bei Kramarz, 127 f.
170 Nina von Stauffenberg, bei Hoffmann, Stauffenberg, 297
171 Nina von Stauffenberg, bei Meding, 275
172 Nina von Stauffenberg, bei Zeller, 239; bei Kramarz, 132
173 Wilhelm Bürklin, bei Kramarz, 131
174 Peter Sauerbruch, bei Kramarz, 132
175 Zit. nach Müller, 159 f.
176 Hoffmann, Stauffenberg, 459
177 Vgl. Anm. 117, S. 310 f.
178 Christian Graf von Krockow: Fahrten durch die Mark Brandenburg. Wege in unsere Geschichte. Stuttgart 1991, S. 311
179 Schlabrendorff, 89
180 Oskar-Alfred Berger, bei Hoffmann, Stauffenberg, 251
181 Müller, 342
182 Zit. nach: Thomas von Aquin, Werkeauswahl, hg. von Josef Pieper. Frankfurt a. M. 1956, S. 67
183 Rupert Angermair, in: 20. Juli 1944, S. 289
184 A. a. O., 293
185 Zit. nach: Luthers Werke, hg. von Arnold E. Berger. Band 3, Leipzig und Wien o. J., S. 203 f., 226 f., 242
186 Vgl. Anm. 104, S. 343
187 Vgl. Anm. 62, S. 104
188 Anni Lerche, bei Zeller, 521
189 Wilhelm Bürklin, bei Kramarz, 130
190 Alexander Stauffenberg, Lebensbilder, 459 f.
191 Hassell, 362
192 A. a. O., 375
193 Ebd.
194 Ebd.
195 Hierzu am ausführlichsten: Hoffmann, Widerstand, Staatsstreich, 374 ff.; ders., Stauffenberg, 327 ff.
196 Zeller, 303
197 Ebd.
198 Vgl. Hoffmann, Widerstand, Staatsstreich, 897
199 Margarethe von Hardenberg, bei Meding, 103
200 Margarethe von Hardenberg, bei Kramarz, 148; Müller, 319 f.
201 Wilhelm Bürklin, bei Kramarz, 131; Olga von Saucken, bei Kramarz, 138 f.; bei Hoffmann, Stauffenberg, 318
202 Hoffmann, Stauffenberg, 321
203 Jacobsen, 521
204 Urban Thiersch, bei Zeller, 359; fast wortgleich Rudolf Fahrner, bei Hoffmann, Stauffenberg, 394
205 Venohr, 229
206 Vgl. Textstellen zu den Anm. 7 und 181
207 Stahlberg, 309, 311
208 Zeller, 210
209 Hoffmann, Stauffenberg, 239
210 Hoffmann, Widerstand, Staatsstreich, 374
211 Hassell, 400
212 Moltke, 609
213 Hoffmann, Stauffenberg, 324
214 Moltke, 580
215 Marion Gräfin Yorck, bei Hoffmann, Stauffenberg, 562
216 Müller, 374
217 A. a. O., 386

218 Schwerin, Die Jungen, 171
219 20. Juli 1944, S. 238
220 Vgl. vor allem Jacobsen, 147 ff., 249 ff.
221 Jacobsen, 471
222 Moltke, 583
223 Nina von Stauffenberg, bei Meding, 278
224 Nina von Stauffenberg, bei Finker, 227 f.
225 Müller, 308
226 Hoffmann, Stauffenberg, 341
227 Hassell, 418
228 Jacobsen, 34
229 Venohr, 302 f.
230 Jacobsen, 728
231 Albert Speer: Erinnerungen. Berlin 1969, S. 388
232 Hoffmann, Stauffenberg, 384
233 Jacobsen, 94
234 A. a. O., 402
235 A. a. O., 373
236 A. a. O., 402
237 Schwerin, Die Jungen, 101
238 Schlabrendorff, 138
239 Margarethe von Hardenberg, bei Meding, 118
240 Zeller, 357; Hassell, 405; Hoffmann, Stauffenberg, 384, 386
241 Rudolf Fahrner, bei Zeller, 364
242 Hoffmann, Stauffenberg, 387
243 Bernd von Pezold, bei Kramarz, 201
244 Emmi Bonhoeffer, bei Meding, 64
245 Nina von Stauffenberg, bei Hoffmann, Stauffenberg, 390
246 Jacobsen, 91
247 Margarethe von Hardenberg, bei Meding, 117
248 Hoffmann, Stauffenberg, 400
249 Venohr, 326
250 Vgl. Anm. 231, S. 388
251 Jacobsen, 130
252 Ebd.
253 Axel von dem Bussche, bei Hoffmann, Stauffenberg, 374
254 Jacobsen, 130
255 Zeller, 529
256 Hoffmann, Widerstand, Staatsstreich, 473; ders., Stauffenberg, 417
257 Jacobsen, 21
258 Hoffmann, Widerstand, Staatsstreich, 474, 804; ders., Stauffenberg, 418, 593
259 Jacobsen, 131
260 Hoffmann, Widerstand, Staatsstreich, 477
261 Müller, 337
262 Vgl. Anm. 131, S. 343
263 Walter Bargatzky, «Frankfurter Allgemeine Zeitung», 14. Juli 1984
264 Jacobsen, 117
265 Nina von Stauffenberg, bei Meding, 273
266 Stahlberg, 380
267 Jacobsen, 305
268 Vgl. Anm. 231, S. 388
269 Zeller, 363 f.
270 Olga von Saucken, bei Kramarz, 138 f.
271 Hoffmann, Stauffenberg, 391, 420
272 Nina von Stauffenberg, bei Meding, 274
273 A. a. O., 289
274 Nina von Stauffenberg, bei Finker, 21 f.
275 Hoffmann, Stauffenberg, 463
276 Zeller, 489 f.; Hoffmann, a. a. O., 396 f.
277 Am umfassendsten ist das folgende abgehandelt bei Peter Hoffmann, Widerstand, Staatsstreich, Attentat, S. 486 ff., verkürzt in: Hoffmann, Stauffenberg, 422 ff. Die Schilderung des Ereignisganges stützt sich hierauf, mit ergänzend herangezogener Literatur.
278 Zeller, 480
279 Hoffmann, Widerstand, Staatsstreich, 488
280 «Der Spiegel», 23. März 1950, S. 31
281 Hoffmann, Stauffenberg, 425
282 Adolf Heusinger: Befehl im Widerstreit. Tübingen 1950, S. 354 f.
283 Paul Schmidt: Statist auf diplomatischer Bühne 1923–45. Erlebnisse des Chefdolmetschers im Auswär-

tigen Amt mit den Staatsmännern Europas. Bonn 1954, S. 594

284 Hoffmann, Widerstand, Staatsstreich, 503; ders., Widerstand gegen Hitler, 85

285 Vgl. Textstelle zu Anm. 199

286 Hoffmann, Widerstand, Staatsstreich, 897

287 A. a. O., 519

288 Der folgende Dialog zit. nach Schlabrendorff, 149 f., Zeller, 386 f.

289 Hoffmann, Widerstand, Staatsstreich, 900 f.

290 Zit. nach Müller, 500

291 Droste Geschichtskalendarium, Bd. 2/II, Das Dritte Reich 1939–1945, hg. von Manfred Overesch. Düsseldorf 1983, S. 508

292 Vgl. Anm. 231, S. 393

293 David Irving: Hitler und seine Feldherren. Frankfurt a. M. 1975, S. 848

294 A. a. O., 617

295 Müller, 502

296 Alix von Winterfeldt, bei Hoffmann, Stauffenberg, 442

297 Zeller, 514

298 Hoffmann, Widerstand, Staatsstreich, 622

299 Zeller, 398. Mit «diesem Oberleutnant» ist Haeften gemeint

300 Hoffmann, Widerstand, Staatsstreich, 624

301 Vgl. Anm. 65, Bd. 2, S. 2177 f.

302 Ebd.

303 Golo Mann: Zeiten und Figuren. Schriften aus vier Jahrzehnten. Frankfurt a. M. 1979, S. 316

304 Schlabrendorff, 154

305 Zeller, 463

306 Ebd.

Zeittafel

1907	15. November: Claus Schenk Graf von Stauffenberg in Jettingen im bayerischen Schwaben geboren Vater: Alfred Schenk Graf von Stauffenberg (1860–1936), Hofmarschall (seit 1908 Oberhofmarschall) am württembergischen Königshof in Stuttgart; Mutter: Caroline geb. Gräfin Uxkull-Gyllenband (1875–1956), Hofdame und Gesellschafterin der Königin. Zwei ältere Brüder: die Zwillinge Berthold und Alexander, geboren 1905. Der Zwillingsbruder von Claus stirbt am Tag nach der Geburt. Wohnsitz der Familie: das Alte Schloß in Stuttgart, wechselnd mit dem Landsitz in Lautlingen an der südwestlichen Schwäbischen Alb
1913–1916	Besuch einer Privatschule in Stuttgart
1916	Herbst: Übergang aufs Eberhard-Ludwigs-Gymnasium in Stuttgart
1923	Frühjahr: Aufnahme in den Freundeskreis von Stefan George
1926	Februar: Abitur April: Eintritt in das Reiterregiment 17 in Bamberg
1927	Oktober (bis August 1928): Lehrgang auf der Infanterieschule in Dresden
1928	Herbst (bis August 1929): Lehrgang auf der Kavallerieschule in Hannover
1929	Juli: Offiziersprüfung. Rückkehr zum Reiterregiment 17 in Bamberg
1930	1. Januar: Beförderung zum Leutnant 15. November: Verlobung mit Nina von Lerchenfeld, geboren 1913 November (bis Februar 1931): Lehrgang für Geschütz-Zugführer in Döberitz. Übernahme eines Minenwerfer-Zuges in der 1. Eskadron des Regiments 17
1933	30. Januar: Hitler wird Reichskanzler 1. Mai: Beförderung Stauffenbergs zum Oberleutnant 26. September: Eheschließung mit Nina von Lerchenfeld; katholische Trauung trotz Ninas evangelischer Konfession 4. Dezember: Stefan George stirbt mit 65 Jahren in seinem letzten Wohnort Minusio bei Locarno. Auch Claus Stauffenberg hält Totenwache
1934	3. Juli: Geburt des Sohnes Berthold 1. September (bis Sommer 1936): ‹Bereiteroffizier› in der Kavallerieschule Hannover
1936	Juni: Wehrkreisprüfung. Anschließend Militärdolmetscher-Examen in Englisch

9. Juli: Geburt des Sohnes Heimeran
August / September: Zweimaliger England-Aufenthalt
Oktober: Sturz vom Pferd, Schlüsselbeinbruch. Beginn einer eindreivierteljährigen Generalstabsausbildung auf der Kriegsakademie in Berlin-Moabit

1937 1. Januar: Beförderung zum Rittmeister

1938 4. Mai: Geburt des Sohnes Franz Ludwig
1. August: 2. Generalstabsoffizier («I b») in der 1. Leichten Division in Wuppertal; verantwortlich für Organisation und Nachschub
Oktober: Teilnahme der Division an der Besetzung des Sudetenlandes

1939 1. September: Beginn des Zweiten Weltkrieges. Die 1. «Leichte» kämpft in Polen in der Heeresgruppe Süd (von Rundstedt). Danach Umbildung zur 6. Panzerdivision
8. November: Georg Elsers Bombenanschlag im Festsaal des Bürgerbräukellers in München. Hitler hat den Saal vorzeitig verlassen

1940 Januar: Ernennung zum Hauptmann im Generalstab
Mai: Teilnahme am Frankreich-Feldzug im Verbande der Heeresgruppe A (von Rundstedt)
Ende Mai: Versetzung als Gruppenleiter II zur Organisationsabteilung im Generalstab des Heeres (zu der Zeit in Bad Godesberg). Vorübergehende Standortverlagerungen nach Chimay in Belgien, Fontainebleau, dann zurück nach Zossen bei Berlin, bis das Heeresoberkommando nach Ostpreußen in die Nähe des Führerhauptquartiers übersiedelt
15. November: Geburt der Tochter Valerie (gestorben 1966)

1941 April: Beförderung zum Major i. G.
22. Juni: Beginn des Rußland-Feldzuges
Juli: Bekanntschaft mit Oberstleutnant Henning von Tresckow, «I a» der Heeresgruppe Mitte

1942 16. Juli–31. Oktober: Mit der Heeresführung im Führerhauptquartier in Winniza / Ukraine

1943 1. Januar: Beförderung zum Oberstleutnant i. G.
25. Januar: «Casablanca-Formel» (der bedingungslosen Kapitulation) durch Roosevelt und Churchill
26. Januar: Stauffenberg bei Feldmarschall von Manstein in Taganrog; vergeblicher Versuch, Manstein zur Teilnahme am Widerstand zu überreden
31. Januar / 2. Februar: Kapitulation der 6. Armee in Stalingrad
Anfang Februar: Versetzung nach Tunesien als 1. Generalstabsoffizier (I a) der 10. Panzerdivision. Ankunft am 14. Februar
18. Februar: Goebbels proklamiert den «Totalen Krieg». In München Festnahme der Geschwister Scholl beim Verteilen von Flugblättern gegen Hitlers verbrecherisches System. Prozesse gegen die Mitglieder des Widerstandskreises «Weiße Rose» und Hinrichtungen folgen
März: Mißglückter Bombenanschlag auf Hitler im Hauptquartier der Heeresgruppe Mitte
7. April: Schwere Verwundungen Stauffenbergs durch Jagdbomber: Verlust des linken Auges, der rechten Hand und der zwei letzten Finger der linken Hand

13. Mai: Kapitulation der deutsch-italienischen Heeresgruppe in Tunesien
3. Juli: Entlassung aus dem Lazarett in München; Erholungsurlaub in Lautlingen
1. Oktober: Chef des Stabes bei General Friedrich Olbricht im Allgemeinen Heeresamt in Berlin

1944 19. Januar: Helmuth James Graf Moltke verhaftet
6. Juni: Beginn der alliierten Invasion in der Normandie
7. Juni: Erste Teilnahme Stauffenbergs an einer Lagebesprechung mit Hitler (auf dem «Berghof»)
20. Juni: Inoffizieller Amtsantritt als Stabschef beim Befehlshaber des Ersatzheeres, Generaloberst Friedrich Fromm
24./25. Juni: Letzter Besuch bei der Familie in Bamberg
1. Juli: Offizieller Amtsantritt unter Beförderung zum Oberst
5. Juli: Julius Leber verhaftet
6. Juli: Teilnahme an zwei Lagebesprechungen auf dem Berghof
11. Juli: Vortrag in der «Mittagslage» auf dem Berghof. Geplantes Attentat unterbleibt, weil Himmler und Göring fehlen
15. Juli: Teilnahme an einer Lagebesprechung in der «Wolfsschanze». Das wiederum geplante Attentat unterbleibt abermals
20. Juli: Stauffenberg zündet die Sprengladung, welche Hitler nur unwesentlich verletzt, hingegen vier andere Konferenzteilnehmer tödlich verwundet. Der Staatsstreich in Berlin scheitert
Nach Mitternacht: Standrechtliche Erschießung Stauffenbergs sowie der drei Tatbeteiligten Olbricht, Mertz von Quirnheim, von Haeften; Freitod Becks.
Juli (bis Kriegsende): Sippenhaft der Familie Stauffenberg
10. August: Hinrichtung des älteren Bruders Berthold

1945 27. Januar: Geburt der Tochter Konstanze
30. April: Freitod Hitlers
7./8. Mai: Bedingungslose Kapitulation der deutschen Wehrmacht

Zeugnisse

Ursula von Kardorff
Ein Mensch von ungewöhnlicher Anziehungskraft, groß, dichtes dunkles Haar, über dem einen Auge eine schwarze Klappe, die dem Gesicht nichts von seiner Schönheit nimmt. Das Männliche mit einem Hauch süddeutscher Grazie, eine in Preußen nicht eben häufige Mischung.

«Berliner Aufzeichnungen», 14. Februar 1944

Gestapo
Kennzeichnend für die Persönlichkeit Stauffenbergs scheint eine erhebliche Willenskraft und geradezu asketische Härte gegen sich selbst gewesen zu sein.

Aus dem zusammenfassenden Untersuchungsbericht vom 26. August 1944

Edwin Redslob

IHR TRUGT
DIE SCHANDE NICHT
IHR WEHRTET EUCH
IHR GABT
DAS GROSSE
EWIG WACHE
ZEICHEN DER UMKEHR
OPFERND
EUER HEISSES LEBEN
FÜR FREIHEIT
RECHT UND EHRE

Gedenktafel im Hof des Bendlerblocks vor der 1953 von Richard Scheibe errichteten Skulptur

Franz Halder
Ich habe Claus von Stauffenberg als eine tief in der Verantwortung vor Gott verwurzelte Herrennatur empfunden, die sich nicht mit gedanklichen Klärungen und Diskussionen zu begnügen geneigt war, sondern zur Tat drängte. Seine charakterliche Eigenart zog mich magnetisch an.

«Der Tagesspiegel», 20. Juli 1963

Ulrich de Maizière
Stauffenberg war trotz seiner Jugend ein Mensch, der überall weitgehendes Vertrauen genoß. Er strahlte eine ungewöhnliche Sicherheit aus; er verfügte über ein klares, niemals voreiliges Urteil. Er besaß große Zivilcourage; seine Meinung äußerte er auch Vorgesetzten gegenüber ohne Zurückhaltung.

«Der Tagesspiegel», 20. Juli 1963

Alexander Graf Stauffenberg
Dein ist die Tat.

Gedichtzeile im Band «Denkmal», hg. von Rudolf Fahrner, Düsseldorf–München 1964

Gustav Heinemann
Der Fehlschlag des Attentats mindert nicht die hohe Achtung vor den Menschen, die es unternahmen. Sie haben vor einer empörten, zweifelnden und tief erregten Welt draußen auf jeden Fall ausgewiesen, daß es auch in unserem Volk damals Menschen gab, die nicht dem Nationalsozialismus verfallen waren.

Gedenkrede in Berlin-Plötzensee am 20. Juli 1969

Albert Speer
Mich forderte Hitler gelegentlich selber auf, mit Stauffenberg eng und vertraulich zusammenzuarbeiten. [...] Nach der Tat, die unverlierbar mit seinem Namen verbunden ist, sann ich oft über ihn nach und fand kein Wort so treffend für ihn wie dieses von Hölderlin: «Ein höchst unnatürlicher, widersinniger Charakter, wenn man ihn nicht mitten unter den Umständen sieht, die seinem sanften Charakter diese strenge Form aufnötigten.»

Erinnerungen, 1969

Nina Gräfin Stauffenberg
Ich stehe heute den Ereignissen nicht anders gegenüber als vor dreißig Jahren. Was damals geschah, war notwendig. Ich würde mich heute diesen Notwendigkeiten genauso beugen, wie ich das damals getan habe. Ich bedaure, daß damals die Elite aller Parteien ausgelöscht wurde, die berufen gewesen wäre, das Nachkriegsdeutschland mitzugestalten. Sie haben einer ganzen Generation gefehlt.

«ZEITmagazin», 11. Juli 1974

Edmund Stoiber
Oberst Stauffenberg und die vielen, die sich um ihres Gewissens willen dem Nationalsozialismus verweigerten und sich ihm widersetzten, opferten ihr Leben, damit die Deutschen vor der Welt nicht alle und nicht für immer Gezeichnete seien.

«Bayernkurier», 14. Juli 1984

Helmut Kohl
Stauffenberg und seine Mitverschwörer und Freunde sind Zeugen des anderen, des besseren Deutschland. Sie waren mutig und handelten verantwortlich. Sie waren edel und besaßen Seelengröße. Sie sind große Tote, auf die wir uns berufen dürfen.

Ansprache in Bonn am 12. November 1987

20. Juli 1992: Bundeswehrsoldaten bei einer Kranzniederlegung im Hof des ehemaligen Bendlerblocks. Im Hintergrund das von Richard Scheibe geschaffene Ehrenmal: die Bronzefigur eines jungen Mannes mit gebundenen Händen

Rudolf Augstein
Die ehrliebendsten unter den Offizieren meinten, man müsse den Staatsstreich auch dann versuchen, wenn sein Gelingen mehr als zweifelhaft wäre. Zu ihnen gehörte der Stefan-George-Bewunderer Stauffenberg, auf dem die ganze Verantwortung lag. […] Graf Stauffenberg war der spirituelle wie der organisatorische Kopf.

«Der Spiegel», 20. Juli 1992

Franz Ludwig Schenk Graf von Stauffenberg
Ich weiß nicht, was ich geworden wäre mit einem anderen Vater. Er hat eine sehr maßgebliche Rolle gespielt. […] Aber sicherlich gibt es auch eine Distanz aus Angst, erdrückt zu werden. Oder schlimmer: sich sein ganzes Leben um das Vaterbild herumzuranken.

«Neues Deutschland», 19. Juli 1993

Bibliographie

1. Selbstzeugnisse

Was willst du werden? Schulaufsatz vom 24. Januar 1923. Nachlaß Bamberg

Gesuch vom 12. Oktober 1925 um Zulassung zur Reifeprüfung als externer Teilnehmer. Staatsarchiv Ludwigsburg, E 202 Büschel 1630

Die Schlacht bei Issos. 15. Oktober 1930. Nachlaß Bamberg

Vorschlag für die Winterausbildung des Minenwerfer-Zuges. 14. Oktober 1931. Nachlaß Bamberg

Heeres-Kavallerie. Eine Studie. 1937. Nachlaß Bamberg

Gedanken zur Abwehr feindlicher Fallschirmeinheiten im Heimatgebiet. In: Wissen und Wehr. Monatsschrift der Deutschen Gesellschaft für Wehrpolitik und Wehrwissenschaften 19/1938, S. 459–476

Briefe an Generalmajor Georg von Sodenstern. Militärarchiv Freiburg, N 594

Die Arbeit über die Abwehr feindlicher Fallschirmeinheiten ist die einzige gedruckte unter den militärkundlichen Studien. Der «Nachlaß Bamberg» meint die Hinterlassenschaften im Besitz von Nina Gräfin Stauffenberg. Die Briefe an sie, soweit im Hause verwahrt, wurden nach dem 20. Juli 1944 beschlagnahmt und sind verschollen. Ein Tagebuch ihres Mannes, das ausgelagert war, wurde von der Treuhänderin aus Vorsicht vernichtet. Etliche Briefe befinden sich weitverstreut in Privathand; einige sind veröffentlicht, so diejenigen an Generalmajor von Sodenstern durch Klaus-Volker Gießler, in: Friedrich P. Kahlenberg (Hg.): Aus der Arbeit der Archive. Boppard 1989.

2. Biographische Literatur über Claus Stauffenberg

Bentzien, Hans: Claus Schenk Graf von Stauffenberg. Zwischen Soldateneid und Tyrannenmord. Hannover 1997

Finker, Kurt: Stauffenberg und der 20. Juli 1944. Berlin [Ost] 1972

Hoffmann, Peter: Claus Schenk Graf von Stauffenberg und seine Brüder. Das Geheime Deutschland. Stuttgart 1992

Kramarz, Joachim: Claus Graf Stauffenberg. 15. November 1907–20. Juli 1944. Das Leben eines Offiziers. Frankfurt a. M. 1965
Müller, Christian: Oberst i. G. Stauffenberg. Eine Biographie. Düsseldorf 1971
Partsch, Karl Josef: Stauffenberg. Das Bild des Täters. In: Europa-Archiv 5 / 1950
Pfizer, Theodor: Die Brüder Stauffenberg. In: Robert Boehringer. Eine Freundesgabe. Hg. von Erich Boehringer und Wilhelm Hoffmann. Tübingen 1957
Scheurig, Bodo: Claus Graf Schenk von Stauffenberg. Berlin 1964
Stauffenberg, Alexander Graf Schenk von: Claus Graf Schenk von Stauffenberg. In: Lebensbilder aus dem Bayerischen Schwaben. Hg. von Götz Frh. von Pölnitz. München 1954
–: Denkmal. Hg. von Rudolf Fahrner. Düsseldorf–München 1964
Thormaehlen, Ludwig: Die Grafen Stauffenberg. Freunde von Stefan George. In: Robert Boehringer. Eine Freundesgabe. Hg. von Erich Boehringer und Wilhelm Hoffmann. Tübingen 1957
–: Die Grafen Stauffenberg. In: Erinnerungen an Stefan George. Hamburg 1962
Venohr, Wolfgang: Stauffenberg. Symbol der deutschen Einheit. Eine politische Biographie. Frankfurt a. M. 1986. Hier verwendet: Taschenbuchausgabe, Frankfurt a. M. 1990
Wunder, Gerd: Die Schenken von Stauffenberg. Eine Familiengeschichte. Stuttgart 1972
Zeller, Eberhard: Oberst Claus Graf Stauffenberg. Ein Lebensbild. Paderborn 1994

3. Allgemeine Literatur zum deutschen Widerstand

Ihr Umfang ist sehr groß, und in den meisten Quellenpublikationen und Darstellungen nimmt Stauffenberg einen gewichtigen Platz ein. Das Verzeichnis beschränkt sich unvermeidlich auf eine Auswahl. Die umfangreichsten Bibliographien finden sich in den Publikationen von Peter Hoffmann.

Adam, Ursula: Die Generalsrevolte. Berlin 1994
Aretin, Karl Otmar von; Cartarius, Ulrich (Hg.): Opposition gegen Hitler. Ein erzählender Bildband der Sammlung Siedler. Berlin 1994
Baumont, Maurice: Le grande conjuration contre Hitler. Paris 1963
Beck, Dorothea: Julius Leber. Sozialdemokrat zwischen Reform und Widerstand. Berlin 1983
Benz, Wolfgang; Pehle, Walter H. (Hg.): Lexikon des deutschen Widerstands. Frankfurt a. M. 1994
Braubach, Max: Der Weg zum 20. Juli 1944. Ein Forschungsbericht. Köln–Opladen 1953
Bußmann, Walter: Die innere Entwicklung des deutschen Widerstandes gegen Hitler. Berlin 1964
Cartarius, Ulrich: Opposition gegen Hitler. Bilder, Texte, Dokumente. Mit einem Essay von Karl Otmar von Aretin. Berlin 1994
Dönhoff, Marion Gräfin: Um der Ehre willen. Erinnerungen an die Freunde vom 20. Juli. Berlin 1994
Dulles, Allan W.: Germany's Underground. New York 1947. Deutsch: Verschwörung in Deutschland. Zürich 1948
–: The Secret Surrender. London 1967

Ehlers, Dieter: Technik und Moral einer Verschwörung. Der Aufstand vom 20. Juli 1944. Hg. von der Bundeszentrale für politische Bildung. Bonn 1965
Fest, Joachim: Staatsstreich. Der lange Weg zum 20. Juli. Berlin 1994
Finker, Kurt: Der 20. Juli 1944. Militärputsch oder Revolution? Berlin 1994
Fraenkel, Heinrich; Manvell, Roger: Der 20. Juli. Berlin–Frankfurt a. M. 1964
Gersdorff, Rudolf-Christoph Frh. von: Soldat im Untergang. Frankfurt a. M. 1979
Gisevius, Hans Bernd: Bis zum bitteren Ende. Zürich 1946. Neuausgabe 1954
Gollwitzer, Helmut; Kuhn, Käthe; Schneider, Reinhold (Hg.): Du hast mich heimgesucht bei Nacht. Abschiedsbriefe und Aufzeichnungen des Widerstandes. München 1954
Graml, Hermann (Hg.): Widerstand im Dritten Reich. Probleme, Ereignisse, Gestalten. Frankfurt a. M. 1984
Hassell, Ulrich von: Tagebücher 1938–1944. Aufzeichnungen vom Andern Deutschland. Hg. von Friedrich Frh. von Gaertringen. Berlin 1988
Heinemann, Ulrich: Ein konservativer Rebell. Fritz-Dietlof Graf von der Schulenburg und der 20. Juli. Berlin 1990
Hoffmann, Peter: Widerstand, Staatsstreich, Attentat. Der Kampf der Opposition gegen Hitler. 3., erw. Ausgabe München 1979
–: Widerstand gegen Hitler und das Attentat vom 20. Juli 1944. Hier verwendet: Taschenbuchausgabe, München 1984
–: Warum mißlang das Attentat vom 20. Juli 1944? In: Vierteljahrshefte für Zeitgeschichte 1984, S. 441–462
Höhne, Heinz: Canaris. Patriot im Zwielicht. Gütersloh 1984
Holler, Regina: 20. Juli 1944 – Vermächtnis oder Alibi? München 1994
Holmsten, Georg: Deutschland Juli 1944. Soldaten, Zivilisten, Widerstandskämpfer. Düsseldorf 1982. Sonderausgabe Bindlach 1990
Hoßbach, Friedrich: Zwischen Wehrmacht und Hitler. Göttingen 1965
Informationszentrum Berlin (Hg.): Der 20. Juli 1944. Reden zu einem Tag der deutschen Geschichte. Berlin 1984
Jacobsen, Hans-Adolf (Hg.): Spiegelbild einer Verschwörung. Die Opposition gegen Hitler und der Staatsstreich vom 20. Juli 1944 in der SD-Berichterstattung. Geheime Dokumente aus dem ehemaligen Reichssicherheitshauptamt. 2 Bände. Stuttgart 1984
Klemperer, Klemens von: German Resistance against Hitler. The Search for Allied Abroad. Oxford 1992
Klemperer, Klemens von; Syring, Enrico; Zitelmann, Rainer (Hg.): Für Deutschland. Die Männer des 20. Juli. Frankfurt a. M. 1994
Knopp, Guido (Hg.): DAMALS 1944. Das Jahr des Widerstands. Das Buch zur ZDF-Reihe. Stuttgart 1994
Kosthorst, Erich: Die deutsche Opposition gegen Hitler zwischen Polen- und Frankreich-Feldzug. Bonn 1954
Krebs, Albert: Fritz-Dietlof von der Schulenburg. Zwischen Staatsraison und Hochverrat. Hamburg 1964
Leber, Annedore: Das Gewissen steht auf. 64 Lebensbilder aus dem deutschen Widerstand 1933–1945. Berlin–Frankfurt a. M. 1954
Lill, Rudolf; Oberreuther, Heinrich (Hg.): 20. Juli. Porträt des Widerstandes. Düsseldorf 1994
Lindgren, Henrik: Adam von Trotts Reisen nach Schweden 1942–1944. In: Vierteljahrshefte für Zeitgeschichte 1970, S. 274–291

McCloy, John J.: Die Verschwörung gegen Hitler. Ein Geschenk an die deutsche Zukunft. Stuttgart 1993

Meding, Dorothee von: Mit dem Mut des Herzens. Die Frauen des 20. Juli. Berlin 1992

Moltke, Helmuth James von: Briefe an Freya 1939–1945. Hg. von Beate Ruhm von Oppen. München 1988

Müller, Klaus-Jürgen; Dilks, David N. (Hg.): Großbritannien und der deutsche Widerstand 1933–1944. Paderborn 1994

Osas, Veit: Walküre. Die Wahrheit über den 20. Juli 1944. Mit Dokumenten. Hamburg 1953

Paar, Hans: Dilettanten gegen Hitler. Offiziere im Widerstand. Preußisch Oldendorf 1985

Page, Helena P.: General Friedrich Olbricht. Ein Mann des 20. Juli. Bonn–Berlin 1992

Pechel, Rudolf: Deutscher Widerstand. Erlenbach–Zürich 1947

Poelchau, Harald: Die letzten Stunden. Berlin 1949

Reynolds, Nicholas: Treason Was No Crime. Ludwig Beck, Chief of the German General Staff. London 1976

Ritter, Gerhard: Carl Goerdeler und die deutsche Widerstandsbewegung. Stuttgart 1954

Roon, Ger van: Neuordnung im Widerstand. Der Kreisauer Kreis innerhalb der deutschen Widerstandsbewegung. München 1967

–: Widerstand im Dritten Reich. Ein Überblick. München 1979

Roth, Harald (Hg.): Widerstand – Jugend gegen Nazis. Ravensburg 1993

Rothfels, Hans: Die deutsche Opposition gegen Hitler. Eine Würdigung. Frankfurt a. M. 1958; erw. Ausgabe 1977. Neuausgabe Zürich 1994

–: Trott und die Außenpolitik des Widerstandes. In: Vierteljahrshefte für Zeitgeschichte 1964, S. 300–323

Scheurig, Bodo (Hg.): Deutscher Widerstand 1938–1944. Fortschritt oder Reaktion? München 1969

Scheurig, Bodo: Henning von Tresckow. Ein Preuße gegen Hitler. Frankfurt a. M.–Berlin 1973; überarbeitete Neuausgabe 1987

Schlabrendorff, Fabian von: Offiziere gegen Hitler. Zürich 1946. Hier verwendet: Taschenbuchausgabe, Frankfurt a. M. 1959

Schmädeke, Jürgen; Steinbach, Peter (Hg.): Der Widerstand gegen den Nationalsozialismus. München 1985

Schmitthenner, Walter; Buchheim, Hans (Hg.): Der deutsche Widerstand gegen Hitler. Vier historisch-kritische Studien von Hermann Graml, Hans Mommsen, Hans-Joachim Reichhardt und Ernst Wolf. Köln 1966

Schramm, Wilhelm Ritter von: Aufstand der Generale. Der 20. Juli in Paris. München 1964

Schultz, Hans J. (Hg.): Der Zwanzigste Juli. Alternative zu Hitler? Stuttgart 1974

Schwerin, Detlef Graf von: Die Jungen des 20. Juli 1944. Brücklmeier – Kessel – Schulenburg – Schwerin – Wussow – Yorck. Berlin 1991

–: «Dann sind's die besten Köpfe, die man henkt». Die junge Generation im deutschen Widerstand. Zürich 1991

Steinbach, Peter: Widerstand im Widerstreit. Der Widerstand gegen den Nationalsozialismus in der Erinnerung der Deutschen. Paderborn 1994

Steinbach, Peter; Tuchel, Johannes (Hg.): Widerstand in Deutschland 1933–1945. Ein historisches Lesebuch. München 1994

Steinbach, Peter; Tuchel, Johannes (Hg.): Lexikon des Widerstandes 1933–1945. 2., überarb. und erw. Aufl. München 1998

Strölin, Karl: Verräter oder Patrioten? Der 20. Juli 1944 und das Recht auf Widerstand. Stuttgart 1952

Ueberschär, Gerd R. (Hg.): Der 20. Juli 1944. Bewertung und Rezeption des deutschen Widerstandes gegen das NS-Regime. Köln 1994

Venohr, Wolfgang: Patrioten gegen Hitler. Bergisch Gladbach 1994

Vollmacht des Gewissens. Hg. von der Europäischen Publikation e. V. 2 Bände. Frankfurt a. M.–Berlin 1960, 1965

Weisenborn, Günther: Der lautlose Aufstand. Bericht über die Widerstandsbewegung des deutschen Volkes. Hamburg 1953

Wheeler-Bennett, John W.: The Nemesis of Power. The German Army in Politics 1918–45. London 1953. Deutsch: Die Nemesis der Macht. Die deutsche Armee in der Politik 1918–1945. Düsseldorf 1954

Zeller, Eberhard: Geist der Freiheit. Der 20. Juli. München 1952. Hier verwendet: Taschenbuchausgabe, München 1965

Zwanzigster [20.] Juli 1944. Hg. von der Bundeszentrale für politische Bildung. Bonn 1964

4. Ergänzende Literatur mit Bezugnahmen auf Stauffenberg

Boehringer, Robert: Mein Bild von Stefan George. Düsseldorf 1951; ergänzte Ausgabe 1967

Erfurth, Waldemar: Die Geschichte des deutschen Generalstabes von 1918 bis 1945. Göttingen 1957

Faber du Faur, Moritz von: Macht und Ohnmacht. Erinnerungen eines alten Soldaten. Stuttgart 1953

Görlitz, Walter: Der deutsche Generalstab. Geschichte und Gestalt. Frankfurt a. M. 1953

Hoffmann, Peter: Die Sicherheit des Diktators. Hitlers Leibwachen, Schutzmaßnahmen, Residenzen, Hauptquartiere. München 1975

Mueller-Hillebrand, Burkhart: Das Heer 1933–1945. 3 Bände. Darmstadt 1954, Frankfurt a. M. 1956, 1959

Paul, Wolfgang: Die Geschichte der 6. Panzerdivision (1. leichte) 1937–1945. Krefeld 1977

Remer, Otto Ernst: 20. Juli 1944. Hamburg 1951

Stahlberg, Alexander: Die verdammte Pflicht. Erinnerungen 1932 bis 1945. Berlin–Frankfurt a. M. 1987

Stauffenberg, Alexander: Der Tod des Meisters. Zum zehnten Jahrestag. München 1945 und 1948

Warlimont, Walter: Im Hauptquartier der deutschen Wehrmacht 1939–1945. Grundlagen, Formen, Gestalten. Frankfurt a. M. 1962

Namenregister

Die kursiv gesetzten Zahlen bezeichnen die Abbildungen

Die Anordnung der Bestandteile des Familiennamens Schenk Graf von Stauffenberg erfolgt gemäß dem Genealogischen Handbuch des Adels, Abt. Gräfliche Häuser, und in Absprache mit Nina Gräfin Stauffenberg

Über den Autor

Harald Steffahn wurde 1930 in Berlin geboren. 1949 bis 1951 Volontariat bei einer Hamburger Tageszeitung. 1951 bis 1959 Studium der Geschichte und Politischen Wissenschaften in Hamburg und Berlin. Promotion zum Dr. phil. Journalistische Berufsstationen «Spiegel»-Archiv, Deutsche Presse-Agentur, «Die Zeit». Seit 1975 selbständig als Journalist und Schriftsteller. Publikationen u. a.: Du aber folge mir nach – Albert Schweitzers Werk und Wirkung, Bern 1974. Albert-Schweitzer-Lesebuch, München und Berlin-Ost 1984. Deutschland – Von Bismarck bis heute, Stuttgart 1990. Als Rowohlt-Autor schrieb Harald Steffahn Bildmonographien über Albert Schweitzer (rm 50263, 1979), Adolf Hitler (rm 50316, 1983), Helmut Schmidt (rm 50444, 1990), Richard von Weizsäcker (rm 50479, 1991), Die Weiße Rose (rm 50498, 1992) und Bertha von Suttner (rm 50604, 1998).

Quellennachweis der Abbildungen

Aus: Robert Boehringer: Mein Bild von Stefan George. München 1951: 2, 19, 29 (Stefan George-Archiv, Württembergische Landesbibliothek, Stuttgart)
Ullstein Bilderdienst, Berlin: 6, 9 oben, 15, 25, 30, 32, 42, 45, 47, 54, 63, 65, 69, 74, 80, 93, 103, 106, 107, 109, 119, 125
Aus: Das III. Reich, Heft 18: 8
dpa Hamburg, Bildarchiv: 9 unten, 41, 56, 58 (2), 61, 73, 92, 95, 111, 127, 129, 131, 146
Gedenkstätte Deutscher Widerstand, Berlin: 11, 23, 38, 91, 100, 101, 124
Aus: Wolfgang Paul: Das Postdamer Infanterie Regiment 9, 1918–1945. Osnabrück 1984: 13
Aus: Wolfgang Venohr: Stauffenberg. Symbol der deutschen Einheit. Frankfurt a.M./Berlin 1986: 17
Aus: Peter Hoffmann: Claus Schenk Graf von Stauffenberg und seine Brüder. Stuttgart 1992: 20, 83
Aus: Joachim Kramarz: Claus Graf Stauffenberg. 15. November 1907–20. Juli 1944: 33 (im Besitz von Frhr. von Broich, Fotowerkstätte Ingeborg Limmer), 76 (Nina Gräfin Stauffenberg), 79 (im Besitz von Frhr. von Broich)
Aus: Adolf Hitler: Mein Kampf. München 1933: 35
Photo R.M.N., Paris: 51 (Musée de l'Armée, Paris)
Archiv für Kunst und Geschichte, Berlin: 53, 82, 97
Aus: Christian Müller: Oberst i.G. Stauffenberg. Düsseldorf o.J. (1971): 59
Aus: Renzo Vespignani: Faschismus. Berlin [5]1979: 86
Aus: Werner Schartel (Hg.): Kunst im Widerstand – A. Paul Weber. Politische Zeichnungen seit 1929. Berlin [7]1979: 87 (© VG Bild-Kunst, Bonn 1994)
Aus: Peter Altmann u.a.: Der deutsche antifaschistische Widerstand 1933–1945. Frankfurt a.M., 2. verb. Aufl. 1978: 88
Bundesbildstelle Bonn: 89
Bildarchiv Preußischer Kulturbesitz, Berlin: 115, 133
Aus: Peter Hoffmann: Widerstand. Staatsstreich. Attentat. Der Kampf der Opposition gegen Hitler. 3., neu überarb. u. erw. Ausg. München 1979: 118 (© R. Piper & Co. Verlag, München 1969)
Aus: Georg Holmsten: Deutschland Juli 1944. Soldaten, Zivilisten, Widerstandskämpfer. Düsseldorf 1982: 122 (Bundesarchiv Koblenz)